JN029408

自動運転レベル4

どうしたら社会に受け入れられるか

樋笠尭士

Takashi HIKASA

学芸出版社

はじめに

　自動運転の「レベル4」を許可する道路交通法の改正案が2022年の第208回通常国会で可決され、2023年4月1日から施行されています。既に世界では、車の完全自動運転に向けた取り組みが進んでいます。2023年春現在、バス・タクシーの無人運転の実証実験などのサービスカーを除き、いわゆる個人所有のオーナーカーでは、ホンダ（日本）とメルセデス・ベンツ（ドイツ）のみが、自動運転レベル3（部分的自動運転）の公道走行許可を得ており、日本は世界のなかでも最先端をいくように思えます。しかし、日本では、トヨタ、日産、ホンダが、欧州ではダイムラー、フォルクスワーゲン、そしてアメリカではGMクルーズ、ウェイモ、中国では、百度（バイドゥ）等が既に自動運転レベル4の実証実験に取り組んでおり、車載技術の革新は日進月歩の勢いで、常に抜きつ抜かれつの状況です。

　ここで、技術の進歩に比例して問題となるのは、法・倫理・受容性です。いくら技術が発展しても、法が追いつかない、対応していない、責任の所在がわからないと、事業者は困惑します。そして、技術の中にはAIが組み込まれており、人工知能に認知・判断・操作を委ねることになるわけですが、ここに道徳的倫理的な思考が反映されるわけです。さらには、いくらすごい自動運転の車を使っても、地域に受け入れられないと、ただのがらくたになってしまうどころか、迷惑に思われてしまいます。

　メーカー、事業者、遠隔監視者、現場措置業務実施者（無人運転の車両に駆けつける人）、車両の認証を行う機関、車両の販売・広報に関する基準を策定する機関、行政、都市計画関与者、まちづくりに携わる者、コミュニティ共創に関わる者、つまり、車を取り巻くすべてのステークホルダーにとって、法・倫理・受容性を考えることが必要なのです。

　そもそも、自動運転「レベル2」では運転手の監視が条件であり、システムが正常に動作しても事故が起きたとき、その責任は運転手にあること

は明確です。しかし特定条件下とはいえ、一般道路での自動運転を想定した「レベル4」では、運転手が車内にいないため、誰が責任を負うのかがはっきりしないのです。

　仮に完璧に安全な車ができても、急に飛び出してきた小学生たちを避けるため、別の歩行者や運転者を犠牲にしなければならないとしたら、どうか？　小学生を避け電柱にぶつかって運転者が亡くなってしまったときに、運転手は称賛されるかもしれません。しかし、AIがそうした判断をしたとき、設計者が殺人罪に問われるとしたら、誰も恐くて技術開発に取り組めません。さらに、自治体や企業が都市計画・まちづくり・シェアリング事業において、「MaaS（マース）」という言葉に象徴されるように、車、さらには自動運転を活用した交通計画にシフトしている世の中で、事故を防ぐために誰がどのような対策を講じればいいのか、何の情報を共有すべきなのか等がわからないと、各事業者は最初の一歩が踏み出せません。

　そこで、自動運転の実装に立ちはだかる倫理、法、そして社会の受容性を考えるのが本書の目的です。

目次

1章

自動運転レベル4の準備は
どこまで進んでいるか

1.1 日本の取り組み
——世界に先駆けてレベル4に挑戦

1.1.1 自動運転レベル1、2の普及

　「はじめに」で述べたように、日本は自動運転レベル4を認める改正道路交通法が2023年4月1日に施行されました。大前提として、まずは、自動運転のレベルの説明をします。自動運転のレベルは、SAE（Autonomous Driving level）に基づいて説明されるので、これに従います。何もサ

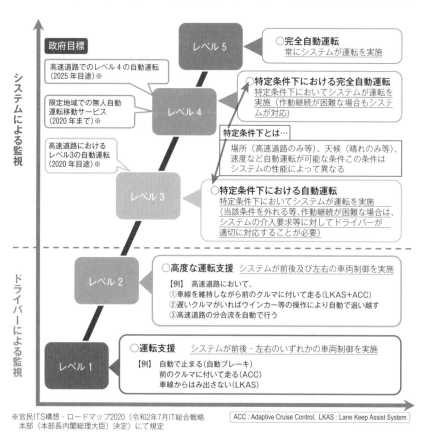

図1-1　自動運転車の定義及び政府目標（出典：国土交通省「自動運転の定義及び政府目標」別紙1より）

ポートする機能がついていない車が**レベル0**です（ちなみに、筆者はレベル0の車に乗っています）。

これに対して、運転をサポートする機能がついているものが、レベル1-2になります。運転支援の機能は、主に、縦と横のものがあります。縦（つまり、前後）の動きをサポートするシステムとしては、たとえば、「前に障害物を発見したら自動で止まる」等の自動ブレーキ機能や、前の車についていく**追従機能**（ACC：アダプティブ・クルーズ・コントロール／Adaptive Cruise Control）があります。

JAFユーザーテストの結果では、ACCを使用すると、ドライバーのアクセルペダルやブレーキペダルを操作する時間や回数が減少します。（400km走行して、ACCを使うとブレーキを踏むのは約2分、使わないと4時間以上ブレーキを踏む）。さらに、ドライバーの運転操作に対する負担が減るだけでなく、ACCにより12％の燃費向上効果も認められることがわかりました。

ちなみに、ただのクルーズ・コントロール（CC）は、速度を一定に保つだけで、前の車とぶつからないように常に運転手がブレーキ操作をする必要があります。

横（つまり、左右）の動きをサポートするシステムとしては、たとえば、**車線維持支援システム**（LKAS：レーンキープアシストシステム／Lane Keep As-

図1-2　**追従機能**（出典：国土交通省「運転支援技術・自動運転技術の進化と普及」資料3-1より）

sist System）は高速道路での長距離移動のとき、車線の中央付近を維持するようにステアリング操作を支援しドライバーの運転負荷を軽減する機能です。

カメラで車線（実線・破線）を検知し、車が車線の中央付近を維持して走行するようハンドル操作を支援します。車線の中央付近を走行している時には弱く、車線（実線・破線）に近寄るほどハンドル制御は強くなります。

この「縦（自動ブレーキ、ACC）」の支援機能か、「横（LKAS）」の支援機能のどちらかが配備されている車が、自動運転レベル1で、縦・横両方を備えた車が自動運転レベル2となります。CM等で、芸能人が手を離して運転しているシーン等は、自動運転レベル2にあたります。

ただし、ここで注意が必要なのは、「呼び方」です。SAEの基準で「自動運転レベル1、2」と呼びますが、これは「運転支援機能」であり、自

図1-3　**車線維持支援システム**（出典：国土交通省「運転支援技術・自動運転技術の進化と普及」資料3-1より）

ACC/LKAS について

ACC/LKAS は、運転操作の負担を軽減するための運転支援システムであり、自動運転システムではありません。 運転するときは常に周囲の状況に気をつけて、安全運転を心がけてください。

図1-4　ACC/LKAS の説明
（出典：https://www.honda.co.jp/ownersmanual/pdf/auto/accordhybrid/30T3 WG10_web.pdf より抜粋）

動運転ではありません。

たとえば、説明書にもそう書かれています（図1-4）。

したがって、自動運転レベル1や2という呼称は、「**運転支援にすぎない**」と理解すべきでしょう。この誤解によってドライバーが判断し、よそ見をしたり、ハンドルから手を離したりすることで起きた事故も国内外では見受けられます。

そして、これらの機能を前提に、一定条件下で、**アイズオフ**（＝目を離してもいい）のが、**レベル3**になります。つまり、システムがその間は完全に運転するので、ドライバーは、すぐハンドルをとれる状況で、（寝てはダメですが）目をスマホに向けるとか、DVDを視聴しても良いことになります。よって、システムが運転する瞬間があるという点では、レベル3とレベル0-2の間に大きな差があることになります。

1.1.2　レベル3の市販車が登場

ホンダは2020年11月、自動運転レベル3型式指定を国土交通省から取

図1-5　ホンダ　トラフィックジャムパイロット（出典：国土交通省「自動運行装置の概要」資料3より）

得し、2021年3月には「自動運行装置」であるトラフィックジャムパイロット（渋滞運転機能）を実現したホンダ・センシング・エリートとそれを搭載する新型レジェンドを発表しました。

　トラフィックジャムパイロット（渋滞運転機能）は、ハンズオフ機能付車線内運転支援機能で、走行中、渋滞に遭遇すると、一定の条件下でドライバーに代わってシステムが周辺を監視しながら、アクセル、ブレーキ、ステアリングを操作する機能です。システムは先行車の車速変化に合わせて車間距離を保ちながら同一車線内を走行、停車、再発進してくれます。ドライバーはナビ画面でのテレビやDVDの視聴、目的地の検索等のナビ操作をすることが道路交通法上も可能となり、渋滞時の疲労やストレスが軽減されます。

　自動運転車では、カメラで色の識別を、ライダー（LiDAR）では対象との距離を、レーダー（ミリ波レーダー）では、周囲との距離と速度の計測等、三つのセンサーを組み合わせて、センシングを行っています。

　この「自動運行装置」は、2020年4月に施行された改正道路運送車両

図1-6　ホンダ　センシングエリート　レベル3（出典：国土交通省「報道発表資料」（2020年11月11日）より）

法において正式に規定されたもので、特定の走行環境条件内において、センサー類やコンピューターを用いて、自動車の操縦に必要な（ふだん、わたしたち人間が行っている）「認知・予測・判断・操作」を行う機能を有し、かつ、作動状態記録装置を備えるものです。自動運行装置搭載車のドライバーはハンズオフが可能な

図1-7　自動運転のステッカー

うえ、システムが周辺の交通状況を監視しながらドライバーに代わって運転操作を行うため、ナビ画面での動画視聴等が可能（アイズオフ）となります。

　ホンダ・センシング・エリートが搭載するトラフィックジャムパイロットは、国土交通省が定める自動運転レベル3に適合する自動運行装置であり、搭載車には、周囲に自動運行装置搭載車であることを示すステッカーを車体後部に貼ることが必要です（図1-7）。

　ホンダのレジェンドは、個人が使ういわゆる「オーナーカー」であるのに対して、バス等の「サービスカー」でも、自動運転レベル3を達成したものもあります。

1.1.3　レベル3のサービスカーも登場

　福井県吉田郡永平寺町で試験運行を実施している遠隔型自動運転システムによる無人自動運転移動サービスの車両が高度化され、遠隔監視・操作型の自動運行装置を備えた車両（レベル3）として、2021年3月5日に認可を受けました。この車両を用いて3月25日より福井県永平寺町は本格運行を開始しています。観光名所でもあるので、観光ついでに自動運転を体験するのもありかもしれません。

　経済産業省および国土交通省の「高度な自動走行・MaaS等の社会実装に向けた研究開発・実証事業：専用空間における自動走行等を活用した端

国内初！遠隔型自動運転システムによる自動運転車のレベル3の認可について

- これまで産業技術総合研究所が、福井県永平寺町において実証実験を進めてきた遠隔型自動運転システムについて、遠隔監視・操作型の自動運行装置（レベル3）として、令和3年3月5日に、**国内で初めて認可**。
- 車両に搭載された自動運行装置は、自転車歩行者専用道（公道）に設置された電磁誘導線上を走行し、**歩行者、自転車及び障害物等を検知し対応する装置**。

国内初の遠隔監視・操作型の自動運行装置（レベル3）の認可

通信

1人の遠隔監視・操作者が
3台の無人自動運転車両を
運行

遠隔監視・操作室

名称：ZEN drive Pilot

遠隔にいる運転手が3台の自動運転車の
常時周辺監視から解放され、運転負担を
軽減

走行環境条件

1. 道路状況及び地理的状況
   （道路区間）
   - 福井県吉田郡永平寺参ろーど：京福電気鉄道永平寺線の廃線跡地
   - 町道永平寺参ろーどの南側一部区間：永平寺町荒谷～志比（門前）間の約2km

   （道路環境）
   - 電磁誘導線とRFIDによる走行経路

2. 環境条件
   （気象状況）
   - 周辺の歩行者等を検知できない強い雨や降雪による悪天候、濃霧、夜間等でないこと

   （交通状況）
   - 緊急自動車が走路に存在しないこと

3. 走行状況
   （自車の速度）
   - 自車の自動運行装置による運行速度は12km／h以下であること

   （自車の走行状況）
   - 自車が電磁誘導線上にあり、車両が検知可能な磁気が存在すること
   - 路面が凍結するなど不安定な状態でないこと

図1-8　福井県永平寺町の自動運転実証実験
（出典：国立研究開発法人 産業技術総合研究所「無人自動運転移動サービスが永平寺町で本格運用を開始——ラストマイル自動走行の実証評価を経て、遠隔監視・操作型のレベル3車両が国内初の認可——」）

末交通システムの社会実装に向けた実証」を幹事機関として産業技術総合研究所が受託しました。永平寺町における無人自動運転移動サービスの社会実装に向けて、ヤマハ発動機、日立製作所、慶應義塾大学SFC研究所、豊田通商、永平寺町役場、まちづくり株式会社ZENコネクト等とともに、研究開発と実証が進められてきました。

　この事業では永平寺町のえちぜん鉄道の廃線跡地の町道である「**永平寺参ろーど（約6km）**」を走路として、高齢住民、通勤・通学者や観光客の移動手段としての端末交通システム（ラストマイルモビリティ）の実証実験が行われてきました。歩行者等との共存空間における自動走行や遠隔監

視・操作の技術を実現することで、少子高齢化地域の活性化も目指しています。

　レベル3の自動運行装置を用いることで、作動継続困難な場合を除き、遠隔にいる運転者による常時監視が不要となり、運転の負担が軽減されます。

　このように、日本ではレベル3のオーナーカーとサービスカーが型式認証されていますが、実証実験レベルでは、自動運転レベル4も始まっています。レベル4は、運行領域内（これを**ODD**：運行設計領域/Operational Design Domainといいます）ではシステムがすべてを担当します。運転手が車内にいる必要は全くありません。車内にハンドルがなくたっていいのです。レベル3で難しいことと、レベル4で難しいことはまた別です。

　レベル4は、（主にバスを想定していますが）運転手がいない無人運転ですので、リモートで遠隔監視をしながら、決められたコースを走らせます。見方によっては、レベル3の個人所有のオーナーカーより、社会実装しやすいです。

　図1-9は、**トヨタ**のイーパレット（e-Palette）です。東京オリンピック時のニュースで有名になった車両です。このようなシャトルバスタイプのものや、普通のバスタイプのものがあります。前後、どちらも「正面」

図1-9　イーパレット（出典：https://global.toyota/jp/newsroom/corporate/29933339.html より）

になるため、Uターンの必要がありません。

　また、日本では、外国製の車両を使用し、自動運転の実証実験を進めている会社もあります。たとえば、フランス製のナビヤ・アルマは、日本の各種実証実験にて活用されており、公道での定時運行（茨城県境町、東京都大田区羽田イノベーションシティ）もしています。

　また、その逆で、外国において、日本の車を使った自動運転も行われています。Amazon 傘下の**ズークス**（Zoox）は専用のロボタクシー EV で、ラスベガスやサンフランシスコ等で試験走行を行っています。ズークスは、トヨタ車両を用いて自動運転タクシーを走らせています。ちなみにズークスは、シャトルタイプの車両を使ってカリフォルニアで Amazon の社員を乗せて一部の公道を走る実験もしています。

　このように車両はさまざまですが、各地で自動運転の実証実験が行われています。行政では、自動運転について国土交通省、経済産業省、内閣府総合科学技術・イノベーション会議（SIP）等が中心となり、取り組んでいます。内閣府 SIP は、東京臨海部での自動運転実証実験を始め、省庁横断的に自動運転を推進しています。

図 1-10　ナビヤ・アルマ（正面）
（出典：ナビヤ・アルマ　羽田イノベーションシティでの定時運行　写真：BOLDLY 株式会社提供）

図 1-11　ズークス
(出典：ズークスのトヨタ車両を使った自動運転タクシー　写真提供：中川正夫・交通安全環境研究所自動車安全研究部 研究員)

　また、経済産業省は、2025 年度以降に都市間の高速道路でレベル 4 自動運転トラックを実現し、大都市等の市街地を想定して、2025 年頃までに協調型システムにより混在交通下（つまり、歩行者も他の車も混ざった一般的な場所）においてレベル 4 自動運転サービスを展開する「**自動運転レベル 4 等先進モビリティ・サービス研究開発・社会実装プロジェクト**（RoAD to the L 4)」を始めています。

　日本全体が、自動運転の社会実装に向けて動いている状況が伝わったかと思います。

1.1.4　期待されるトラックでのレベル 4 実現

　一方、トラックの世界と自動運転の関係はどうなっているのでしょうか。トラックの自動運転に迫ります。

(1) 隊列走行

　隊列走行とは、複数のトラックが一列で連なり、走行状況を通信によっ

「自動運転レベル4等先進モビリティサービス研究開発・社会実装プロジェクト (RoAD to the L4)」研究開発・社会実装計画概要

4. 実施内容　①無人自動運転サービスの実現及び普及

・テーマ1

遠隔監視のみ（レベル4）で自動運転サービスの実現に向けた取組

将来像：
・2022年度目途に限定エリア・車両での遠隔監視のみ（レベル4）で自動運転サービスを実現。

2021　→　2022

主な検討課題
⇒事業モデルの整理
⇒遠隔監視での1:3の運用の実証評価
⇒遠隔システムのセキュリティ対策
⇒遠隔システムのインターフェイスの改善
⇒1:Nの拡大や他タスクとの併用の実証評価
⇒事業モデルの展開

将来イメージ

エリア・車両拡大

・テーマ2

さらに、対象エリア、車両を拡大するとともに、事業性を向上するための取組

将来像：
・2025年度までに多様なエリアで、多様な車両を用いたレベル4無人自動運転サービスを40カ所以上実現。

主な検討課題
⇒サービス内容、事業モデルの整理
⇒ODD/ユースケースの高度化、多様化
⇒自動運転バスの類型化
⇒多様な開発車両の活用
⇒多様な走行環境、車両による実証評価
⇒事業モデルのOEM、サービスケースの発展
主要はOEM、サービス提供者の参加の元、先ずはODD/ユースケースの類型化を実施

～2022　～2025

将来イメージ

混在環境対応

・テーマ3

高速道路における隊列走行を含む高性能トラックの実用化に向けた取組

将来像：
・2025年以降に高速道路でのレベル4自動運転トラックやそれを活用した隊列走行を実現。

～2022　～2025

主な検討課題
⇒レベル4を前提とした事業モデル検討
⇒レベル4検証用車両開発
⇒運行管理システムのコンセプト検討
⇒ODDコンセプト等の評価、
⇒運行管理システムの実証評価、確立
⇒民間による車両システム開発
⇒マルチブランド協調走行の実証評価

将来イメージ

混在空間対応

・テーマ4

混在空間でレベル4を展開するためのインフラ協調や車車間・歩車間の連携などの取組

将来像：
・2025年頃までに協調型システムにより、様々な地域の混在交通下において、レベル4自動運転サービスを展開。

～2022　～2025

主な検討課題
⇒協調型システムの評価
⇒地図情報型データ連携スキームの検討
⇒協調型の事業モデルの国際動向分析・戦略作成
⇒モデル地域の技術、サービス実証
⇒テストベッドを活用した検証、アップデート
⇒協調型システムの国際協調、標準化提案

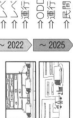

将来イメージ

図1-12　経済産業省 RoAD to the L4
（出典：経済産業省「『自動運転レベル4等先進モビリティ・サービス研究開発・社会実装プロジェクト（RoAD to the L4）』について」)

てリアルタイムで共有し、自動で車間距離を保って走行する技術です。(マラソンのように、前の人のすぐ後ろを走ることで) 空気抵抗の低減、車速変化の減少による燃費向上も見込めます。また疲労などによる運転ミスにおける交通事故の削減や、下り坂から上り坂に差し掛かる箇所 (＝サグ部) での速度低下を抑制することによって渋滞を緩和させることや、運転負荷軽減による担い手の確保などの効果があります。

　この隊列走行を、先頭を有人にして、後続車を自動運転にすれば、メリットが最大になります。

　たとえば、豊田通商株式会社 (以下、豊田通商) は、経済産業省および国土交通省から受託した「トラックの隊列走行の社会実装に向けた実証」の一環として、2021 年に、新東名高速道路の遠州森町 PA ～浜松 SA (約 15 km) において、後続車の運転席を実際に無人とした状態でのトラックの後続車無人隊列走行技術を実現しています。

　今回実現したトラックの後続車無人隊列走行技術は、3 台の大型トラックが、時速 80 km で車間距離約 9 m の車群を組んで走行するもので、無

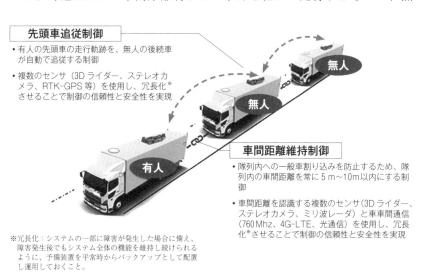

先頭車追従制御
- 有人の先頭車の走行軌跡を、無人の後続車が自動で追従する制御
- 複数のセンサ (3D ライダー、ステレオカメラ、RTK-GPS 等) を使用し、冗長化※させることで制御の信頼性と安全性を実現

車間距離維持制御
- 隊列内への一般車割り込みを防止するため、隊列内の車車間距離を常に 5 m～10m 以内にする制御
- 車間距離を認識する複数のセンサ (3D ライダー、ステレオカメラ、ミリ波レーダ) と車車間通信 (760 Mhz、4G-LTE、光通信) を使用し、冗長化※させることで制御の信頼性と安全性を実現

※冗長化：システムの一部に障害が発生した場合に備え、障害発生後でもシステム全体の機能を維持し続けられるように、予備装置を平常時からバックアップとして配置し運用しておくこと。

図 1-13　豊田通商によるトラックの後続車無人隊列走行技術
(出典：豊田通商株式会社・プレスリリース・2021 年 3 月 5 日「高速道路におけるトラックの後続車無人隊列走行技術を実現」https://www.toyota-tsusho.com/press/detail/210305_004779.html)

人状態で車間距離維持や先頭車追従を可能とするものです。

　以上のように後続車無人走行技術とは、先頭車トラック（人間のドライバーが運転します）が、通信で連結された運転席無人の複数台のトラックを電子的に牽引する隊列走行を実現するシステムのことです。有人の先頭車の走行軌跡を、無人の後続車が自動で追従する制御（先頭車追従制御）と、隊列内への一般車割り込みを防止するため、隊列内の車間距離を常に5ｍ〜10ｍ以内にする制御（車間距離維持制御）の2つの制御を使用しています。

　ちなみに、トラックの隊列走行については、日本が世界を主導しているといえます。国際規格 ISO 4272（高度道路交通システム‐トラック隊列走行システム：Intelligent transport systems‐Truck platooning systems）は、隊列の形成／加入／離脱時の機能（隊列運行管理機能）と、隊列走行の機能（隊列走行制御機能）について規定しています（図1‐14）。

　これらの機能の標準化によって、異なるメーカーの車両が混在していても隊列の加入車情報を共有することが可能となり、加入時においても協調

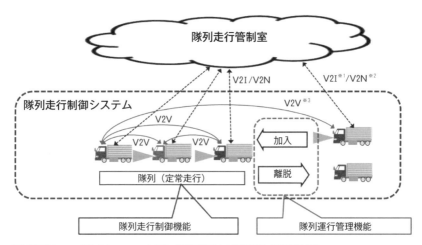

※1：「Vehicle to roadside Infrastructure」の略。道路に設置された対応機器と自動車間の通信。
※2：「Vehicle to Network」の略。自動車と無線通信ネットワーク間の通信。
※3：「Vehicle to Vehicle」の略。自動車同士の通信。

図1‐14　国際規格 ISO 4272 によるトラック隊列に関する規定
（出典：経済産業省 2022 年 9 月 21 日ニュースリリース「日本提案の「トラック隊列走行システム」に関する国際標準が発行されました――より安全で効率的な社会を目指して（ISO 4272）――」https://www.meti.go.jp/press/2022/09/20220921001/20220921001.html）

して車速の調整を行うなどした隊列の形成が可能となります。

　この国際標準は、日本が国際議長を務める ISO（国際標準化機構）/ TC 204（ITS 高度道路交通システム）/WG 14（走行制御）に、日本から 2019 年 4 月に提案し、2022 年 9 月 19 日に発行されました。

　さらに、1.1.3 節で触れた経済産業省の「自動運転レベル 4 等先進モビリティサービス研究開発・社会実装プロジェクト（RoAD to the L 4）」のテーマ 3 では、「高速道路における隊列走行を含む高性能トラックの実用化に向けた取組」が始まっています。上述の「トラック隊列走行の社会実装に向けた実証」（経産省 2016 ～ 2020 年度）を踏まえ、物流の担い手不足解消や物流効率の向上に向け、大型車メーカー各社および物流事業者をはじめとする関係者と取り組み、自動走行技術を用いた幹線輸送の実用化により 2026 年度以降の社会実装を目指すそうです。

経済産業省の RoAD to the L4 の目標
・2025 年度以降の高速道路におけるレベル 4 自動運転トラックの実現
・2026 年度以降の実用化・社会実装

　これらを目標として豊田通商株式会社を幹事に、佐川急便、西濃運輸、福山通運、日本通運、日本郵便、ヤマト運輸などの物流事業者と、いすゞ自動車、日野自動車、三菱ふそうトラック＆バス、UD トラックスなどのメーカーや、先進モビリティ株式会社などが参画しています。

　自動運転レベル 4 のトラックでどのようなビジネスモデルを構築するか、インフラとの連携はどうするか、大型車特有の ODD（＝運行設計領域）の設定など、さまざまな検討を進めています。

(2) 限定空間内のトラック自動運転

　では、先頭についていく隊列走行の自動運転とは異なり、自ら単独で自動運転を行うトラックはあるのでしょうか。たとえば、UD トラックス株

図 1-15　UD トラックスと神戸製鋼所による実証実験
(出典：UD トラックス・プレスリリース（2023 年 1 月 26 日）「UD トラックスと神戸製鋼所、加古川製鉄所で大型トラックレベル 4 自動運転実証実験を実施」https://www.udtrucks.com/japan/news-and-stories/news/ud-trucks-and-kobe-steel-conduct-level-4-autonomous-driving-trial-0)

式会社と株式会社神戸製鋼所は、2022 年 8 月末〜 10 月末にかけて、トラックの自動運転レベル 4 の実証実験を行なっています。水たまりや段差、ぬかるみなどのある過酷な不整地で行うだけでなく、天候条件も、雨や霧など様々な天候の下で実証実験が行われています。輸送だけでなく、自動での積み下ろしや投入口への搬送まで達成しており、この技術が実装されれば、物流だけでなく、工場と連結した自動化が可能となります。工場の稼働に関する効率化や人材配置についてかなりの効果が見込めそうです。

　各トラック自体は限定された空間（工場、高速道路）で運行することが多いため、一般道よりイレギュラーが少なく、ODD も設定しやすいです。そのため、自動運転や無人隊列走行などの早期の社会実装が見込まれると思います。

1.2 世界の取り組み
——欧米はどれくらい進んでいるか

　世界では、レベル3の実装、レベル4の実証実験等さまざまな動きがありますが、ドイツ、フランス、アメリカ、中国等世界を牽引する大国の主要な動きに着目して紹介します。すべては常にアップデートされ、毎日のように新しい開発や新興企業が生まれています。ビジョンをもって新しい業態に挑戦する企業動向は、何年経ってもわれわれのビジネスや社会生活にヒントをくれると思います。

1.2.1　ドイツ

　ドイツは、2021年7月28日に、レベル4の社会実装を可能とした道路交通法の改正を行っています。新設された道路交通法1d条〔特定の運行領域における自律走行機能を有する自動車〕1項1号では、本法における自律運転機能を備えた車両について、「運転者なしでも、所定の運行領域を自ら運転することができる」ものと定められていて、公道でレベル4の走行を可能とする世界初の法整備です。これに加え、ドイツ国内では、レベル3の型式認証も行われており、レベル3を実装しつつ、レベル4の改正を行った状況は日本と共通します。

　メルセデス・ベンツは2021年12月2日に世界で初めて、自動車線維持システム（ALKS）による自動運転の型式認証をドイツ連邦自動車（KBA）から受けました。この型式認証は、国連欧州経済委員会WP29（自動車基準調和世界フォーラム）が定める基準「高速道路等における運行時に車両を車線内に保持する機能を有する自動運行装置に係る基準（UN-R157）」に従ったものです。この基準は、高速道路等における時速60km以下での同一車線での自動運行装置に関するルールを定めていて、この国際基準ができてから、初めて型式認証されたのがベンツです。日本は、この国際基

準が誕生する前に、同じ規格で既にホンダ・レジェンドを型式認証しているので、本当は日本が世界で一番早かったとされるはずなのですが……。

このメルセデス・ベンツは、KBAから型式認証を受けたことで、上記の条件下において、自動運転レベル3を可能にする車両を販売できるようになりました。そして、2023年1月26日には、アメリカのネバダ州でベンツのレベル3の自動運転が認可されています。UN-R157が定める条件下でベンツの「ドライブ・パイロット」を起動すると、乗用車が同一車線内で、速度維持、車間距離保持等を自動で操作してくれます。また、回避すべき状況が起きた場合、乗用車が自ら、同一車線内で回避したり停止したりします。運転手は運転操作を引き継げる状況になくてはならないものの、「ドライブ・パイロット」での走行中は、電子メールの送信、インターネットの閲覧、映画の視聴等が可能になります。おおむね、日本のレベル3のホンダ・レジェンドと同等の性能です。

図1-16　メルセデス・ベンツ　レベル3
（出典：メルセデス・ベンツ・グループ・メディアより　https://group-media.mercedes-benz.com/marsMediaSite/en/instance/ko.xhtml?oid=521739616&ls=L2VuL2luc3RhbmNlL2 aゔ tvLnhodG1sP29pZD00ODM2MjU4)

ちなみに、ドイツは、物流の分野の自動運転も進んでいます。フォルクスワーゲンの商用車部門に属する **MAN トラック＆バス**は、自動運転レベル 4 のトラックを公道で走行させるための研究開発プロジェクトを行っています。「**ATLAS－L4**（Automatisierter Transport zwischen Logistikzentren auf Schnellstrassen im Level 4）」です。

　直訳すると、「レベル 4 の高速道路における物流センター間の自動輸送」です。物流面の安全性や柔軟性の向上と、輸送の効率化に向けてドイツの自動車部品メーカーのボッシュ、レオニ、クノールブレムゼ、ミュンヘン工科大学、ブラウンシュバイク工科大学、フラウンホーファー研究機構、認証機関のテュフ・ズード、連邦政府が 100 ％株主のアウトバーン運営会社、ソフトウエア開発を行う新興企業フェアンライド等も参加して、自動運転トラックの高速道路走行実現に向けた開発に取り組んでいます（簡単にいえば、「産官学でがんばっている」ということです）。上述の、2021 年 7 月に発効した、公道でのレベル 4 の自動運転を可能にする改正道路交通法に基づいて、ドイツ経済・気候保護省から資金提供支援も受けています。今後、①交通事故や渋滞の削減、②燃料消費と二酸化炭素（CO_2）排出量の削減、③柔軟な車両活用によるトラックドライバー不足の解消を目指すと

図 1-17　ATLAS－L4（出典：https://www.atlas-l4.com/index.html）

しています。

　ちなみに、ドイツ国内の渋滞による年間の経済損失額は数十億ユーロ（日本円で数千億円）に達し、日本と同じく、交通事故の約9割はヒューマンエラーが要因だそうです。さらにドライバー不足も深刻で、国内のドライバーは少なくとも6万人不足しており、毎年約3万人が退職を迎え一方で、新人ドライバーは毎年約1万7000人にとどまっています。

1.2.2　フランス

　フランス政府は2021年4月14日付のオルドナンス法（自動運転に関する責任体制と委託手続き）で、道路交通法、刑事訴訟法と消費者法の改正を行い、実験（実証実験）における運転手の刑事責任の特例、製造者の責任の範囲を設けていましたが、オルドナンス法は抽象的な内容なので、これに加えて具体的な政令（デクレ）も必要な状況でした。そこで、2021年6月29日付施行令（2021‐873号デクレ）で、自動運転が作動中の運転者の責任

図 1-18　EZ10（出典：イージーマイル https://easymile.com/vehicle-solutions/ez10-passenger-shuttle より）

図 1-19　ナビヤ・アルマ（筆者撮影）

を免除し、自動車メーカーの責任とする等の法を整備し、2022 年 9 月 1 日から、自動運転レベル 3 による公道走行が一定条件下で認められるようになりました。なお、フランスが批准するウィーン条約修正により、2023年 1 月から、時速 130 km までレベル 3 の運転が認められています。

　ちなみに、フランスの自動運転スタートアップ企業である EasyMile（イージーマイル）は、公道でのレベル 4 の実証実験の許可をフランスで得ており、「EZ 10」（12 人乗りの自動運転シャトル）等を使った実験を進めています。

　また、1 章で触れた自動運転の Navya（ナビヤ）もフランス企業であり、レベル 4 のバスについては、社会実装の鍵を握るのはフランスといえそうです。

1.2.3　アメリカ

　ウェイモは、2017 年アリゾナ州フェニックス都市圏で自動運転配車サービスの試験運転を開始し、2021 年には、サンフランシスコでの自動運転配車サービス「ウェイモ・ワン」のパイロットプログラムを開始してい

図 1-20　ウェイモ（写真提供：中川正夫・交通安全環境研究所自動車安全研究部 研究員）

ます。

　サンフランシスコでのパイロットプログラムで使用する車両は、全電動のジャガー・I-PACE です。ウェイモの自動運転技術「ウェイモ・ドライバー」（第 5 世代）では自動運転スペシャリストが同乗しています（同乗しているので、運転手がいる自動運転レベル 3 のイメージです）。同プログラムの乗客は、ウェイモ・ワンのアプリから配車手配をします。今後のサービス拡大に向け、利用客はウェイモにフィードバックを行うことになっています。このプログラムは、既に開始されていて、車椅子利用者等あらゆるモビリティ・レベルの乗客を今後ターゲットにするそうです。

　クルーズは、2022 年 6 月 2 日、サンフランシスコ市内における有料での運転手がいない無人の自動運転車の配車サービス（タクシー）の実施に関し、カリフォルニア州公益事業委員会から許可を取得したと発表しました。つまり、自動運転レベル 4 です。アメリカの主要都市で、有料での自動運転車の配車サービスの提供が認められたのは、同社が初だとしています。

　同州における自動運転車の商業利用に関しては、同州陸運局が発行する公道利用許可証を取得した上で、カリフォルニア州公益事業委員会が設け

図1-21　**クルーズ** (写真提供：中川正夫・交通安全環境研究所自動車安全研究部 研究員)

る「フェーズ1公道利用プログラム」で認可を取得する必要があります。クルーズは、カリフォルニア州公益事業委員会から同認可を取得したことで、乗客への料金請求が可能になっています（つまり、実験をこえてビジネスになったということです）。

　現時点の走行範囲は同州のサンフランシスコ市内の指定された道路で、午後10時から午前6時までの間、電気自動車最大30台を用いてロボタクシー・サービスを提供します。制限速度は時速30マイル（時速約50km）で、濃霧や豪雨等悪天候下での走行はできません。また、同伴者でない客同士の相乗りサービスは提供していません。利用者は、同社ウェブサイトから自宅や職場の最寄りの地区や、利用したい時間帯等の情報を含め、事前に登録する必要があります。交通渋滞や交通量等が少ない夜中を中心とした運行が参考になります。

　リフト（アメリカのモビリティ企業）と自動運転技術開発の**モーショナル**（韓国の現代自動車（ヒョンデ）グループと自動運転技術を提供するアメリカ企業Aptiv（アプティブ）の合弁会社）は2023年からネバダ州ラスベガスで自動運転車両による配車サービスの商業展開を開始しています。リフトの配車

図1-22　モーショナル・IONIQ 5
（出典：モーショナル：https://motional.com/news/the-ioniq-5-robotaxi-a-production-vehicle-tailor-made-for-robotaxi-service）

アプリで、モーショナルの自動運転車を呼べるようになります。ネバダ州で自動運転車による配車サービスの商用利用が本格的に開始されるのは、これが初です。

　配車サービスに使用されるのは、現代自動車の電気自動車IONIQ 5にモーショナルの自動運転レベル4を搭載した自動運転車です。

　ちなみに、リフトは、同社の自動運転部門「レベル5」をトヨタ自動車の子会社ウーブン・プラネット・ホールディングス（日本では、富士山のところにある「ウーブン・シティ」が有名です）に売却し、リフトの自動運転部門であるレベル5は、ウーブン・プラネットの傘下に入り、自動運転等の技術開発を行うことになっています。ウーブン・プラネットは、リフトのシステムや車両データを利用できることになり、リフトは、商業契約に伴う収入を見込んでいるそうで、Win‒Winの関係になっています。

　なお、アメリカでは自動車の技術基準など基礎的な要件を国（連邦法）が定める一方、道路交通ルールは各州（州法）に委ねられています。全土をカバーするのは「自動運転技術におけるアメリカのリーダーシップの確保 Ensuring American Leadership in Automated Vehicle Technologies

（Automated Vehicles 4.0）」のガイドラインです。「安全性の最優先」、「セキュリティとサイバーセキュリティの重視」、「プライバシーとデータセキュリティの確保」、「モビリティとアクセシビリティの強化」などの10原則が記載されていますが、やや一般的・抽象的であり、現段階では自動運転車の公道走行ルールも各州が独自に策定している状況です。

　たとえばカリフォルニア州公益事業委員会（CCPC）は、交通イノベーションを支援する継続的な取り組みとして、ウェイモに「ドライバーレス」な自動運転車の乗客サービスを一般に提供することを承認しています。ドライバーレスサービスを提供する企業は、ドライバーレスオペレーションにおける乗客の安全を守るための計画をまとめた「Passenger Safety Plan」を提出したり、自動運転旅客サービスを提供する車両の運行状況を四半期ごとに CPUC に報告したりする必要があります。

　このように、アメリカでは、各州が独自のルールで自動運転を（有料・無料の試験走行含め）決めています。また、ロボタクシーについては、国際運輸規制協会（International Association of Transportation Regulators）の指針に従うこともあるそうです。

1.2.4　中国

　中国の検索エンジン最大手の**百度**（バイドゥ）は2021年12月に、「アポロ」と名付けた自動運転プロジェクトをスタートさせ、重慶市の永川区で自動運転車両14台を投入し、商業化試験を実施しています。そして、2022年8月、重慶市と湖北省武漢市の両政府から無人運転モデル運営資格を取得し、両市において中国国内初となる完全無人運転タクシー（自動運転レベル4）のサービスを開始すると発表、重慶市では永川区の特定エリア（30 km^2）、武漢市では経済技術開発区の特定エリア（13 km^2）において、乗務員やサポートスタッフが同乗しない無人運転タクシーサービス（配車サービス）を提供します。

　無人運転タクシーは、重慶市永川区では午前9時半から午後4時半まで、

図 1-23 百度・アポロ
（出典：An Apollo Robotaxi runs at Shougang Park as Baidu launches China's first driverless taxi service in the city on May 2,2021 in Beijing, China. He Luqi|Qianlong.com|Visual China Group|Getty Images）

武漢市経済技術開発区では午前9時から午後5時まで毎日運行しています（日中にやるのがすごいですね！）。居住区、商業ビル、地下鉄駅等複数の指定乗降スポットで、百度のアプリで利用できます。また、5Gを活用して遠隔でリアルタイムの運行状況を監視、必要に応じてコントロールすることで、乗客の安全が確保されているそうです。

　自動運転タクシーの舞台となる重慶市では、2019年8月の中国国際スマート産業博覧会で、重慶市永川区政府が「西部自動運転テスト運営基地」の設置について百度と合意していて、同区中心20km²の道路をスマート化しており、自治体・インフラ全体で自動運転をサポートしている点が参考になります。

　なお中国もアメリカと同じく、政府の方針の下で、各省や自治体などが企業に対し個別に走行ライセンスを付与しています。中国政府は、産学官連携で自動運転車の実証を進めるため「スマートカーモデル地区」を多数計画し、全国で現在合計16カ所の試験モデル区を設置しています。上海・北京・広州・深センの主要4都市全てにおいて、百度と小馬智行（ポニー・

エーアイ）のほか、オートXの3社が自動運転タクシーを運行しています。企業にとっては運行地域が限定されるうえに、地方ごとの対応・体制作りをする必要があります。

中国は、一応2021年3月に道路交通安全法改正案を公表し、パブリックコメントを募っていますが、改正箇所は100以上あり、改正の実現には時間はかかりそうです。ですから、現状、レベル3以上の自動運転では、事故時の責任所在や車両の登録などの具体的な規制がほぼない状況です。そんななか、2022年8月1日から深セン経済特区スマートコネクテッドカー管理条例が施行されました。これによって深センでは中国で初めて「完全無人」までの自動運転車の走行が許可され、目下、中国初のレベル3自動運転の公道走行が可能となりました。

中国初の地方のスマートコネクテッドカー管理法規である「深セン経済特区スマートコネクテッドカー管理条例」は、コネクテッドカーの管理、公道試験、モデル応用、認可登録、使用管理、交通違反、事故処理、法的責任などを規定します。さらに、道路交通安全違反の責任の所在を明確にしました。運転者のいるコネクテッドカーが安全運転義務違反をした場合、運転者が責任を負います。

これに対して、完全自動運転車が無人運転中に安全運転義務違反をした場合、車両所有者、管理者が責任を負います。コネクテッドカー（自動運転車）の欠陥によって交通事故が発生した場合、車両の運転者または所有者・管理者は本条例の定めに準じて賠償責任を果たした上で、生産者・販売者に賠償を請求することができる（＝求償できる）としています。

条例ではあるものの、内容がかなり踏み込んだ内容になっており、メーカーにとっては、不明であいまいだった部分が解消されると思います。ですから、今後、深センでの自動運転の新規参入や開発が促進されると思います。

ここまで、いろいろな国の自動運転の動向を見ましたが、上手くいくことばかりではなく、やはり、それぞれ社会実装に立ちはだかる壁がありま

す。その一つ目は、**倫理**です。それを次章で説明しましょう。

1章の参考文献

- https://jaf.or.jp/common/safety-drive/new-technology/acc/about-acc/fuel-efficient
- https://www.meti.go.jp/policy/mono info service/mono/automobile/Automated-driving/RoADtotheL4.html
- 官民 ITS 構想・ロードマップ 2020〔令和 2 年 7 月 IT 総合戦略本部（本部長内閣総理大臣）決定
- 自動走行ビジネス検討会報告書 version6.0（2022 年 4 月 28 日自動走行ビジネス検討会事務局）
- KBA, GenehmigungzumautomatisiertenFahren, PressemitteilungNr. 49/2021
- BMVI, GesetzzumautonomenFahrentrittinKraft, Stand 27. 07. 2021
- ジェトロ・ビジネス短信（7d544fa0029b1426、416b2c7baed762ac、3a11b8a3547f517f）
  https://www.aist.go.jp/aist j/news/au20210323.html
- https://press.mantruckandbus.com/corporate/atlas-l4-funding-project-self-driving-from-hub-to-huben/
- https://futuretransport-news.com/easymile-authorized-at-level-4-of-autonomous-driving-on-public-roads/
- Ensuring American Leadership in Automated Vehicle Technologies（Automated Vehicles 4.0）A Report by the NATIONAL SCIENCE & TECHNOLOGY COUNCIL and the UNITED STATES DEPARTMENT OF TRANSPORTATION January 2020
- 深圳市市第七届人民代表大会常务委员会公告（第五十五号）

2章

誰の命を優先するか？を
AI に委ねられるか

2.1 トロッコ問題
——人命と人命の選択

トロッコ問題（＝トロリー問題）をご存じでしょうか。

「車を運転していて、ブレーキが間に合わず、誰かを轢いてしまう状況で、このまま進むと若者3人に、左にハンドルを切ると高齢者3人にぶつかります。あなたはどちらを選びますか？（図2-1）」

このような極限の状態をジレンマ状況といいます。法律的には、一方の法益（守るべき権利）が、他方の法益を侵害することによってのみ保全可能な状況のことをいいますが、簡単にいえば、どれかを犠牲にしないと助からない状況をジレンマ状況と呼びます。トロッコ問題はジレンマ状況でどう決断するか、倫理的な判断が求められ、哲学等の分野で例としてよく

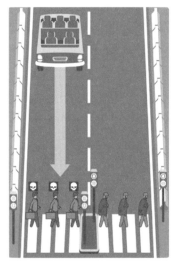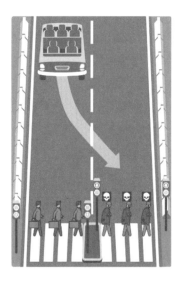

図2-1　MIT モラルマシーン

登場するものです。

　もともとは、以下の二つの例を比べることにより議論をしていく問題として活用されています。

> 事例1 あなたは時速100kmのスピードで路面電車の運転している。その走行中に、ブレーキの故障に気が付く。直進すると前方の工事作業員5人をひき殺すことになるが、横の待避線に入れば1人の作業員を巻き添えにするだけですむ。どうすべきか？
>
> **Q. 5人を轢くべきか、1人を轢くべきか？**

　事例1では、1人か5人か、どちらを犠牲にするか、人数で比べるなら、横の待避線に進路を変えて、1人の犠牲ですむような判断が考えられます。1と5を比べて、より被害が少なくなる選択肢、裏を返せば、より守れるものを最大化できる選択肢は、1人を犠牲にすることです。これは、功利主義的な思考です。

　では、ここで、事例2を見てみましょう。

> 事例2 前方に5人いるのは同状況だが、今度は横に待避線がない。そして、あなたは運転手ではなく線路を見下ろす橋にいる。そして太った男の後ろにいる。太った男を線路上に突き落とせば、太った男1人の死体で電車は止まり、5人が救える。
>
> **Q. 5人を轢くか太った男1人を突き落とすか？**

　どうでしょうか。事例1同様、より被害が少なくなる選択肢で考えると、太った男を突き落とすしかありません。ですが直感的にそれを選びたくな

いと思った方もいるでしょう。事例1と事例2の違いは何でしょうか。数字的な枠組みとしては、1対5で同じです。しかし、自分が運転手ではなく、傍観者であることや、実際に被害に遭う者に物理的に接触すること等は事例1と異なります。ここに何かヒントが隠されているのでしょう。

事例1と事例2では、結論に至る思考の過程は同じでしょうか。事例1と事例2で一つの一貫した考え方を維持できるでしょうか。

このように、トロッコ問題は、形式を変化させて呈示することによって、「被害者数で比べる功利主義的思考は一貫できないのではないか？」「功利主義は正しいのか？」のように、功利主義を批判する文脈や、一元的な解決が困難な問題であるとの文脈で用いられます。

このトロッコ問題の問いに答えるのが難しいことがわかったかと思います。このようなトロッコ問題の状況、ジレンマ状況になったときに、自動運転車のシステム（AI）はどのように行動するのでしょうか。事前にどうすべきかをすべてプログラムされるシステムでありますから、ジレンマ状況への対処も事前に考える必要があるため、この古典的なトロッコ問題が今や世界中で改めて検討されるようになりました。

端的に言えば、「**乗客、あるいは歩行者の生命を守るため、他人の生命を侵害するように AI をプログラミングすることが許されるか？**」という問題に取り組まずして、自動運転車をつくることはできないのです。この問いに答えるのは少なくとも工学者ですが、哲学者や法律学者も悩む問題ですから、学際的に協働して立ち向かうことが必要です。

2.2 日本における解決
——プログラマーを無罪にできるか

では、日本において、実際にトロッコ問題は裁判でどう扱われるかを見てみましょう。まずは、システムではなく、ヒューマンドライバーが運転している場合を想定しましょう。先ほどの事例1をヒューマンドライバーのパターンにして少し変えましょう。

事例3 あなたは時速100kmのスピードで車の運転している。その走行中に、ブレーキの故障に気が付く。直進すると前方の工事作業員5人をひき殺すことになるが、横の歩道に入れば1人の作業員を巻き添えにするだけですむ。どうすべきか？

横の歩道に入り、1名を犠牲にした場合（以下、事例3-1）で考えてみます。

図2-2　事例3-1

歩道

歩道に乗り上げること等の道路交通法関係を除いて、結果だけを見ると、**1名を、故意に（わざと）死亡させている**ため、刑法199条の殺人罪に問われる可能性があります。「仕方がないじゃないか」と思う方もいると思いますが、まずは、犯罪が成立するかどうかではなく、ある行為がある罪の条件（＝構成要件といいます）にあたるかどうかがチェックされます。ですので、まずは、殺人罪の構成要件に該当するかどうかを検討することになります。しかし、当たり前ですが、やむを得なかったわけなので、そのことを主張しますと、「緊急避難」を検討することになります。

　刑法37条（緊急避難）：自己又は他人の生命、身体、自由又は財産に対する現在の危難を避けるため、やむを得ずにした行為は、これによって生じた害が避けようとした害の程度を超えなかった場合に限り、罰しない。

　難しいですが、ピンチを回避するために何かを犠牲にした場合に、守ろうとしたものと失ったものを比べて、失ったものが守ろうとしたものを越えなければ、無罪、ということです。
　緊急避難の要件は、①**現在の危難**、②**やむを得ずにした行為**（＝補充性）、③**害が避けようとした害の程度を超えなかった**（法益権衡性）です。
　①**現在の危難**とは、法益侵害（法で守られる利益が侵害される）の危険が差し迫っていること、つまり、ピンチだということです。②**やむを得ずに**

現在の危難	危険が差し迫っていること
補充性	危険を避けるために、ほかに方法がない
法益権衡性	価値の小さい法益を守るために、価値の大きい法益を害してはいけない

図2-3　緊急避難の要件

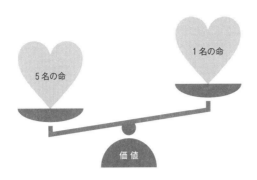

図2-4　法益権衡

した行為（＝補充性）は、危険を避けるためには他にとれる手段がなかったことを意味します。たとえば、そもそもブレーキ故障時に緊急ブレーキをかけるボタンがあるなら、それを押す方法もありますよね。この場合は補充性が満たされません。言い方を変えると、「他行為可能性がない」ことが必要です。「他行為可能性」は、まさに、緊急ブレーキという「他行為」により、危険を回避できる可能性があったことを指します。「他にとれる行為がなく、これしかできないんだ！」という状況が「他行為可能性がない」状況で、これが、「補充性」の要件になっています。

　③害が避けようとした害の程度を超えなかった（法益権衡性）は、価値の小さい法益を守るために、価値の大きい法益を害してはいけないという意味です。たとえば、自分の大事な壺めがけてトラックが突っ込んできたときに、壺という財産を守るために、歩行者をトラックの前に突き飛ばしてトラックにぶつけて死亡させ、トラックを止めるのは、財産を守るために価値の高い人命を害しているため、法益権衡性は満たされません。

　では、**事例3-1**で考えてみます（歩道に出る場合を事例3-1とし、出ない場合を3-2とします）。

　ブレーキ故障のまま直進すると5名の作業員の人命が失われてしまいます。ですから、人命に対する差し迫った危険が認められます（**①現在の危難**○）。次に、緊急ブレーキ装置もなく、右にも対向車ばかりで曲がれない状況では、正面で5名にぶつかることを避けるために左折して歩道に乗

り上げるしか方法がありません（②補充性○）。最後に、5名の作業員を守るために、1名を犠牲にするのは、同じ人命ですが、避けようとした害は5人の人命で、生じた害は1名の人命ですから、より価値の高い5名を守ることは、害の程度を超えていません（③法益権衡性○）。

したがって、緊急避難が成立し、無罪になります。

なお、歩道に出ずに直進し、5名を死亡させた場合（事例3-2です）には、この③法益権衡性が満たされないので、緊急避難は成立せず、殺人罪が成立して、「過剰避難（③要件を欠く場合に減軽されるもの）」として刑が減軽される可能性が残るだけになります。

それでは、これが自動運転の場合はどうでしょうか。

事例4 あなたは自動運転車のプログラミング担当です。ジレンマ状況について、トロッコ問題を本書で勉強したうえで、助かる人数が多いほうの進路をとるようにシステムをプログラミングしました。実際にその自動運転システムが搭載された車両が販売され、ジレンマ状況に陥り、プログラムどおりに、車両は横の歩道に入り、1名を犠牲にしました。

実際の運転手と異なり、プログラマーは事故現場にもいませんし、事故が発生する遙か前に自分の責任ある行為である「プログラミング」を終えています。ジレンマ状況になったときの対処法（助かる人数が多いほうへ進路を設定する）をプログラミングしたことの責任が問われることになります。刑法上のややこしい話は割愛しますと、これもまた、「緊急避難」を検討します。プログラミング当時は「将来」であったわけですが、「現在の危難」（＝ジレンマ状況）に対するプログラミングをしていたことになります（①現在の危難○）。そして、「助かる人数が多いほうへ進路を設定する」ことが、他にとる方法がなかったといえるかどうかが問題となります（このプログラミングをした場合を事例4-1とします）。

この場合、プログラマーは、「助かる人数が多いほうへ進路を設定」できるのに、あえて「ジレンマ状況の対処法をプログラミングしない」ことも可能なわけです（車両のセンサーによる一般的な判断でなんとかなると考え、わざわざジレンマ状況に対する行動をインプットしないこともあり得るわけです）。そうすると、「助かる人数が多いほうへ進路を設定」したとしても、他にできる行為（＝プログラミングをせず、センサーに委ねる行為）、つまり**他行為可能性があることになり**、緊急避難の要件である「**②やむを得ずにした行為（＝②補充性）**」が満たされず、緊急避難は否定されます。自動運転車を使って（刑法上は間接正犯という議論になりますが）、故意に人を死亡させたことによる殺人罪が成立します。

　ここで、歩道に乗り上げるのはダメだから、直進して５名を轢く、というプログラミングをしていた場合（**事例4-2**とします）でも、同様に他のプログラミング等があり得るわけですから、他行為可能性があることになり、緊急避難の要件である「**②やむを得ずにした行為（＝②補充性）**」が満たされず、緊急避難は否定されます。仮に、メーカー業界全体で歩道に出る選択肢は選べないことになっている等の状況があれば、「やむを得ずにした行為」といえるかもしれませんが、その次の要件、法益権衡性において、歩道に出ずに直進し、５名を死亡させた場合（人の場合の**事例3-2**と同じ）には、この②法益権衡性が満たされないので、緊急避難は成立せず、殺人罪が成立して、「過剰避難」として刑が減軽される可能性が残るだけになります。

　事例３も事例４も事故の**結果は同じですが、人の運転手では緊急避難が成立して無罪になるのに、自動運転のプログラマーは有罪になる**可能性があります。事前にしっかりとジレンマ状況を考えて対処法をインプットしたプログラマーが有罪になるのは皮肉です。では、このようなトロッコ問題に蓋をして、一切プログラミングしなければすむのでしょうか。それも一つの選択肢ですが、業界全体がジレンマ状況への対処をプログラミングしていた場合、それをプログラミングしなかったことで事故が発生して結

果が重大である場合に、業界水準となるようなジレンマ状況への対処をプログラミングしなかったことが、「過失（ミス）」として、業務上過失致死傷罪に問われる可能性も出てきます。

　たとえば、JR西日本の福知山線の脱線事故の裁判でも、速度照査機能付きATSを設置していれば事故を防げたものの、周りの業者は全く配備していなかったため、ATSを設置していなくても仕方が無く、その点の過失がないと判決で言われています。つまり、**業界の同業他社がどのようなプログラミングをするかも刑事裁判では重要な指標になる**のです。しかし、同業他社に、軽々しく「ジレンマ状況への対処ってどうされてます？」と聞けないですよね。この点に上手く踏み込んだのがドイツです。

2.3 ドイツの倫理規則
——ガイドラインによる解決

　ドイツでは、2017 年、旧連邦交通デジタルインフラストラクチャー省が、**「自動運転及びコネクテッド・カーに関する倫理規則」**（Ethische Regeln für den automatisierten und vernetzten Fahrzeugverkehr）を制定しました。この倫理規則を決定した委員（以下、倫理委員会）には、工学、哲学、法律、社会科学、技術評価、消費者保護、メーカー、宗教家、ソフトウェア開発等の分野の代表者が選ばれています。

表 2-1　ドイツの倫理委員会

Udo Di Fabio（ボン大学、元連邦憲法裁判所裁判官）
Henning Kagermann（工学アカデミー会長）
Manfred Broy（バイエルン・デジタル化推進センター設立者）
Renata Jungo Brüngger（ダイムラー社取締役）
Ulrich Eichhorn（VW 社研究開発部門長）
Armin Grunwald（Karlsruhe 技術センター研究所長・連邦議会技術評価室長）
Dirk Heckmann（Passau 大学、バイエルン憲法裁判所構成員）
Eric Hilgendorf（Wurzburg 大学、ロボット法研究所所長）
Anton Losinger（カトリック大学 (EI) 理事会委員長、補佐司教）
August Markl（自動車連盟会長）
Matthias Lutz-Bachmann（ゲーテ大学 FaM 人間科学研究部門長）
Klaus Müller（消費者センター総連盟理事）
Kay Nehm（交通法学会理事長、元連邦検事総長）

　これらの委員は、ウド・ディ・ファビオ（Udo Di Fabio）教授の指揮の下、第 1 ワーキンググループ「避けられ得ない損害状況」（グループ長：Eric

Hilgendorf 教授)、第2ワーキンググループ「データの可用性（Availability：継続して稼働できること）、安全、経済性」（グループ長：Dirk Heckmann 教授)、第3ワーキンググループ「人間と機械のための相互作用条件」（グループ長：Armin Grunwald 教授)、第4ワーキンググループ「道路交通を超えた倫理的な関連考察」（グループ長：Matthias Lutz‐Bachmann 教授)、第5ワーキンググループ「ソフトウェアとインフラストラクチャーについての責任の範囲」（グループ長：Henning Kagermann 教授)、の5つのワーキンググループに分かれ、議論・検討を重ねたうえで報告書を作成しています。その報告書では、まず、問題点として次のような事例が挙げられ、問題点が指摘されています。

事例 車の運転手は、道路に沿って運転していた。完全に自動化された車は、道路に何人かの子どもが遊んでいるのを認識した。

人間の運転手であれば、岸壁に進むことによって自死するか、あるいは、路上で遊んでいる子どもたちのほうに進むことによって子どもたちの死を甘受するかという選択に迫られる。これに対して、完全に自動化された車の場合、プログラマーまたは自律学習する機械が、このような状況をどう制御すべきかを判断することになる。プログラマーによる判断の問題性は、プログラマーが、社会的なコンセンサスに合致する、人間に対する「正しい」倫理的な決定を下すことにある。むろん、ここには、そのうえ具体的状況を直感的に把握するのではなく、抽象的かつ一般的な状況を判断しなくてはならないという他者による決定が存在する。……つまり、結局は、極限事例において、プログラマーまたは機械は、個々の人の死に関する「正しい」倫理的な決定を下さざるをえないのである。

このように、倫理委員会の報告書では、事例から始まり、倫理的な問題とプログラミングについて検討し、最終的に**プログラマーにより人の死に**

関する決定がなされうるという点を明らかにしています。もっとも、積極的に死に関するプログラミングを認めるわけではなく、結果としてそのようなプログラミングにならざるを得ないことを認め、問題性を指摘しているわけです。そして、倫理委員会でなされた検討の結果が、20の倫理「規則」として示されています。そのうちのいくつかが日本にも世界にとっても有益なので、ここで紹介します。

ドイツ倫理規則2・7

第2　人の保護は、あらゆる他の有用性の衡量に優先する。損害の完全な防止にまで至る損害の減少が目的である。人間の運転と比較して、少なくとも、リスクバランスにおいてプラスであるという意味での、損害の減少が約束されるときにのみ、自動運転のシステムは許可される。

第7　すべての技術的な予防措置でも、避けられないことが明らかである危険な状況において、人命の保護は、法益衡量においてもっとも優先される。それゆえ、それによって人的損害を避けられ得る限りで、技術的に実現可能な範囲内で動物の損害あるいは物の損害を甘受するようにプログラミングされるべきである。

　第2規則では、自動運転の導入において、ヒューマンドライバーより損害が減ることを理由に自動運転車の導入を認める内容の規則になっています。これによって、メーカーは、完全にリスクをゼロにしなくても自動運転車を市場に投入できることになります。許容可能なリスクはどこか、と考え出すと、安全性の分野ではどの指標で図れば良いのかも含め、非常にややこしくなりがちです。そこで、この第2規則により、シンプルに、人間の運転よりリスクバランスでプラスであれば良い、とわかれば、メーカーもありがたいでしょう。

ドイツ倫理規則8

第8 生命対生命のような真のジレンマにおける決定は、関係者の「予測できない」行動様式を含んだ具体的な実際の状況に左右される。それゆえ、かかる決定は、一義的に規範化できず、また、倫理的に疑う余地のないようプログラムすることもできない。技術システムは、事故を避けるために設計されなければならない。しかし、道徳的に判断する能力を有する答責的（＝責任がとれる）な運転者の決定を置き換えたり、あるいは、それを先取りし得るような、複雑あるいは直感的な事故の評価に向けた規範化はできないのである。人間の運転者が、1人あるいはそれ以上の人間を救うために緊急状況下で1人の人間を殺してしまった場合、たしかに、その運転者は違法に行為したものであろう。しかしながら、必ずしも責任ある行為とはいえない。回顧的に、特別な事情も含めてなされるこのような法的な判断は、容易には、抽象的、一般的な事前判断に置き換えられえず、それゆえ、ふさわしいプログラミングにも置き換えることができない。したがって、望ましいのは、独立の公的機関（たとえば、自動輸送システムに関わる事故調査連邦事務局、あるいは自動運転およびコネクテッド・トランスポート保全連邦庁）により、体系的に諸経験を整理することである。

　第8規則は、やや難しいですが、簡単にまとめると、「ジレンマ状況への対処に対する責任問題は、法的な判断なので、事後的（裁判時）にわかるものです。だから、事前に何が正しいかをプログラミングすることはできないです」ということです。行政（デジタルインフラストラクチャー省）が規則で端的に、「ジレンマ状況のプログラミングはできません、しなくていいです」と言ってくれているわけです。

　2.2節で見たように、日本ではジレンマ状況への対処をプログラミングするか、しないか、どちらを選んでも裁判次第というドキドキの（ある意

味これもジレンマですが）、悩みがあります。ですが、ドイツのこの第8規則があれば、悩むことなく、「行政がしなくていいと言っているから、しない」という決断が可能であり、プログラマーのお悩みが解決されるのです。

ドイツ倫理規則9

第9　回避することができない事故状況において、個人的な特徴（年齢、性別、身体あるいは精神上の素質）によるあらゆる格付けは厳格に禁止される。被害者同士を相殺することも禁止である。人的被害数を減少させる一般的なプログラミングは支持されうる。乗り物のリスクの発生に関与する者※は、関与しない者たちを犠牲にしてはならない。

第11　起動されている自動化走行システムによる損害に対する責任については、他の製造物責任におけるのと同様の原則が妥当する。そのことから、技術上、可能かつ期待可能な限りで、製造者又はシステム運営者には、システムを継続的に最善の状態にし、そして既に供給されたシステムを監視し、かつ改良する義務が生じる。

※「リスクの発生に関与する者」には自動運転車の乗客は含まれないと考えられる。

　さらに、第9規則では、（そこまでセンシングが可能かはさておき）赤ちゃんだろうが高齢者だろうが、格付けするプログラミングはダメですよと明言しています。そして、「相殺」も禁止されているので、歩道に乗り上げると1名が犠牲に、直進すると5名が犠牲に、1対5で、1を選ぶという先ほどの事例についても、被害者同士を相殺していることになりますから、このようなプログラミングも禁止です。

　つまり、ジレンマ状況に対するプログラミングはしてはならず、抽象的で一般的な「人の被害者数を他の人を犠牲にしない範囲で減らしましょう」というプログラミングしかできないのです。これもまた、メーカー、プログラマーにとっては、非常に明快な方針だと思います。ジレンマ状況に踏み込まないことを行政が規則（ガイドラインのようなもの）として示す

ことは、産業界にとっても、裁判にとっても意味があることです。

　これに対して日本では、実証実験に関するものを除き、現時点でこのようなガイドラインに類するものとして、自動運転車の安全技術ガイドライン（2018 年 9 月）」と、「限定地域での無人自動運転移動サービスにおいて旅客自動車運送事業者が安全性・利便性を確保するためのガイドライン（2019 年 6 月）」の二つがあるのみです。国土交通省による「自動運転車の安全技術ガイドライン」は、自動運転車が満たすべき車両安全の定義を、「許容不可能なリスクがないこと」とし、「自動運転車の運行設計領域（ODD）において、自動運転システムが引き起こす人身事故であって合理的に予見される防止可能な事故が生じないこと」としています。この定義は、販売者・プログラマーにおいて抽象的かつ高い安全性を要求するように思われますし、また、このガイドラインには責任に関するフレーズやジレンマ状況の事前判断プログラミングについての記述はありません。その意味では、現場のプログラマーに指針を与えているようには思われないのです。

　技術的視点のみに特化した安全基準等のガイドラインだけでなく、自動運転車の市場投入の前提となる、また、事前プログラミングの方向性の基準となるような倫理的かつ（刑事）政策的な観点のガイドラインがまさに必要とされています。著者も、自動運転倫理ガイドライン研究会を立ち上げ、まさに業界ガイドラインを策定する作業に従事しています（参考資料は巻末にあります）。

2.4 EU の倫理提言、イギリス倫理提言、ISO 39003──広域的な提言の意味

2.4.1 EU の倫理提言

2020 年 9 月には、EU が「EU 協調型自動運転車の倫理：交通安全・プライバシー・公平性・説明性・責任に関する提言（Ethics of Connected and Automated Vehicles: Recommendations on Road Safety, Privacy, Fairness, Explainability and Responsibility）」を公開しています。

> 「本報告書では、規範的原則についての哲学的または法的な議論は行わず、EU 条約および EU 基本権憲章に定められた基本的な倫理的・法的原則を支持しています。責任ある研究とイノベーションのアプローチによれば、コネクテッド・カーと自動運転車の設計と実装は、社会によって批判的かつ自己反省的に採用されてきた基本的な倫理・法的原則に基づく倫理的ガイドラインに基づいて行われるべきです。EGE の人工知能に関する声明と AIHLEG の信頼できる AI のためのガイドラインに沿って、われわれは、EU 条約と EU 基本権憲章に規定されている以下の倫理的・法的原則に基づいた分析と勧告を行うことを提案します」

と書かれています。文章中の EGE とは、欧州委員会の科学新技術倫理グループで、かの有名な AI 規制法を作った組織で、一定条件下では域外適用（EU 以外の国）も可能なため、全世界に影響を与えるものであることがわかります。そして、「AIHLEG」との文字がありますが、これは、ハイ・レベル・エキスパート・グループ・オン アーティフィシャル・インテリジェンスのことで、「信頼できる AI のための倫理的ガイドライン」を発表した組織のことです。そして EU 提言はこのガイドラインをもとにした

と書いてありますから、これはEU全域および、世界に影響を与えることになります（このガイドライン自体に「ヨーロッパを越えて世界的なレベルで促すこと」が示されている）。

　そして、EU提言の21頁以下に示されている「ノン・マレフィセンス（無危害）」「ディグニティ（尊厳）」「ベネフィセンス（善行）」「パーソナル・オートノミー（個人的自律性）」等は、EU全体で認められているもので、各加盟国での争いがなく、さらにはこれが世界に広がろうとしています。EUが始めた個人情報を規制するGDPR（General Data Protection Regulation：一般データ保護規則）のように世界に広げていくつもりだと思われます。その点、内向きのドイツの方針とは異なります。よって、これは、ミニマムでEU 27カ国、マキシマムで全世界をターゲットにした倫理の提言であることがわかります。

EU倫理提言5 道路利用者の脆弱性の不平等の是正

　自動運転車は正義の原則に沿って、道路利用者間の脆弱性の不平等を是正する機会を提供することができる。研究者は現在の交通事故統計を利用して、どのカテゴリーの道路利用者がその道路での露出度に比して不均衡な被害を受けているかを明らかにすることができる。そうすれば、自動運転車は製造者や配備者によって、異なる道路利用者の間の道路露出に対する危害比率の強い格差を減らすように調整されるかもしれない。言い換えれば、すべての道路利用者の安全性をより平等にするために、政策立案者はあるカテゴリーの交通弱者の周りでは、他の交通弱者とは異なる振る舞いをする自動運転車を開発・配備することをメーカーや配備者に要求するかもしれません。

　この提言5によれば、たとえば、あるカテゴリーの道路利用者は他の利用者よりも脆弱であるという仮説が科学的研究によって確認された場合に、メーカーや運行事業者は、行動が予測しにくい利用者の周りでは速度を落

としたり、道路利用者との間により多くのスペースを確保したりして、自動運転車がより慎重に行動するようにプログラムすることができます。

　提言6の説明では、「自動運転車の開発と展開を規制する際、政策立案者は、不平等に関する提言5に記載されたリスク配分の原則を遵守することでジレンマ状況における自動運転車の行動が有機的に起こることを受容できる。このようなリスク配分の原則を守ることで、自動運転車の行動が基本的な倫理的・法的原則に抵触しないことが保証される」とあり、さらに、ジレンマ状況については、

EU 倫理提言6　リスク配分原則と倫理観の共有によるジレンマの取り扱い

　自動運転車が開発者によってプログラムされ、透明性のない、あるいは倫理的・社会的に受け入れ難い基準に基づいて衝突を選択するのではないかという社会的懸念を考慮するに、研究者、政策立案者、製造者および配備者は、提言6について一般の人々を安心させ、その潜在的な影響について一般の人々を巻き込んだ検討プロセスを行うべきである。

と書かれていて、一般人をプログラミングの基準策定に関与させるべきとの方向性が見て取れます。

2.4.2　イギリス倫理提言

　2022年8月、イギリスのデータ倫理・イノベーションセンターは、「自動運転車における責任あるイノベーション報告書」を公開しました。報告書は、コンピューターサイエンス研究者で防衛科学諮問委員も務めるジョン・マクダーミド（John McDermid、ヨーク大学教授）や、新興技術のガバナンス研究で知られるジャック・スティルゴー（Jack Stilgoe、ユニバーシティ・カレッジ・ロンドン大学教授）、コネクテッド・自動運転車センター（CCAV）、イングランド法律委員会、ウェールズおよびスコットランド法

律委員会、イギリス個人情報保護監督機関、データ倫理・イノベーションセンターアドバイザリーボード、内務省、生体認証機関および監視カメラコミッショナー、運転者・自動車基準庁、自動車安全証明局等の主要ステークホルダーとの関わりによって形成されたものです。

　この報告書は、さまざまなステークホルダーにより製作されていて、運輸省が新しい法的枠組みの要件とプロセスの詳細を規定する二次法を策定する際の指針とされています。この二次法は 2023 年に諮問される予定で、自動運転車の統治方法に関する継続的な国民対話の次の段階を示すものであるとされています。

　同報告書の提言「3. 公平性（Fairness）」では、「自動運転車が交通弱者（たとえば子ども、大人、車椅子利用者）を分類する場合、保護特性を含む差別が発生するリスクがある」と示され、提言 22 では、子ども、車椅子利用者、その他の交通弱者の識別等、安全上の理由からシステムが運転中にグループを区別する場合を想定し、これに関するレポート義務を課しています。

イギリス倫理提言：導入

自動運転車の場合、車両が使用するシステム、およびそれらを開発・配備する組織も同様に、安全かつ倫理的な方法で行動する責任を負うことを保証する新しいメカニズムが必要になる。

とも書かれており、メーカーも運行事業者も、安全だけでなく、「倫理」を担保する仕組みが要求されています。

　具体的には、

提言 26

公認された自動運転事業者は、安全で倫理的な運用コンセプトの一環で交通弱者に対し自動運転車に検知されやすくするための携帯や装着

> を義務付けるべきではない。しかし、交通弱者がそのようなデバイス
> を使用することを決めた場合、公認された自動運転事業者はその潜在
> 的な追加的安全利益を無視してはならない。

と書かれています。センシングにおいて、交通弱者だけを取り出すのは技
術的に難しいため、何らかのデバイスを交通弱者側が付ける場合が想定さ
れています。しかし、「このデバイスを付ければ、自動運転車に認識して
もらえて、配慮してもらえるよ」と、交通弱者にデバイスの装着を押し付
けてはいけません。自動運転車に乗らない、無関係の第三者である交通弱
者に義務を負わせてはいけないのです。ここで重要なのは、このデバイス
を付けるかどうか、ではなくて、「交通弱者だけを取り出して配慮する必
要がある」という前提に立っていることです。

　また、提言 35 では、ODD（＝運行設計領域）に関して、国民に知らせる
べきであるとされています。

> 提言 35
> 「自動運転」などの用語の使用に関する規則には、自動運転車が運転
> できる条件（道路の種類、場所、天候、他の道路利用者の行動など）を国
> 民に知らせるための要件を含めるべきである。

　このように国民が、自動運転車に過度な期待をしないよう、メーカー／
ディーラー側が機能限界を誇張しないよう、縛る仕組みが大切です。

2.4.3　ISO 39003

　スイス・ジュネーブに本拠地を置く国際標準化機構 ISO といえば、日
本では ISO 9001（品質マネジメントシステム）が有名です。ISO が定めた国
際規格は、製品やサービスを世界中で同じクオリティで提供するための国
際的な基準です。これにより国際的な取引がスムーズになります。さまざ

まな企業が「ISO 9001 を取得しました」をアピールしたり、むしろ、入札の条件が ISO 9001 だったりすることもあり、国際規格の獲得がマストな業界もあります。最近だと、環境への配慮が求められる時代なので、企業が環境に与える影響を分析して環境リスクを最小限に抑えるための枠組みを構築する ISO 14001（環境マネジメントシステム）も人気です。

　その ISO の TC 241／WG 6（筆者も参画しています）が策定中の ISO 39003「Guidance on safety ethical considerations for autonomous vehicles（直訳：自律走行車の安全倫理配慮に関するガイダンス）」は、自動運転レベル 5 を対象とした国際規格です。「倫理についての国際規格」ができるのは非常に興味深いです。同ガイドラインの説明では、「自律走行車（自動運転車）が各社会の道徳（モラル）的な優先順位と合致していることをわたしたちはどうやって確認できるのでしょうか？（How can we be sure that the autonomous vehicles have moral prioritizations that align with those of society?）」と書かれており、この問題に立ち向かう国際規格となっています。

　ISO 39003 は、製造者および販売者に対し、国際規格への準拠を正式に宣言するための仕組みを提供することに加え、購入者、エンドユーザー、社会全体に対して、自動車の設計が規格内で特定された倫理的問題を考慮し、対処しているという保証を与えることが目的だとされています。自動運転に必要な倫理的配慮について設計時に適切に対応し、効果的にコントロールされていることを保証するために、自動車メーカーが自己認証するための「プロトコル・ガイドライン」を提供する国際規格であるということです。この国際規格は、2023 年に発行する予定のものです（筆者も規格策定の国際会議に参加しました）。

　内容については、ISO 39003 を購入いただかないと見られないため、本書では項目と公開されている内容のみに触れます。各状況ごとに、ざっくりとどうすればよいかの行動準則「Maxim」があり、それに付随する原則「principles」があり、守るべき価値「Values」が記載され、これらが相まって具体的な行動の方針も示されています。

たとえば、7章には「他の道路利用者との避けられない衝突」という項目もあり、物 VS 物の場合、人命 VS 物または身体の怪我の場合、人命 VS 人命の場合に、自動運転車がどのような挙動をすべきかが載っています。非常に倫理的にコアな部分ですので、気になる方も多いと思います。繰り返しますが、レベル5対象の国際規格（ガイドライン規格：従わないことも可能）なので、まだまだ先の話です。しかし、内容としては自動運転の倫理にとって、人間にとってとても重要なことです。

2.5 ELSI (Ethical, Legal and Social Issues) と自動運転
──なぜ自動運転だけ倫理問題が起きるのか

　これら、ドイツの倫理規則、EU 提言、イギリスの提言、ISO 39003 に共通するのは、多様な価値観に鑑みて、行政だけでなく産業、学術さらには一般市民までが自動運転の倫理問題に携わるという仕組みと、システム設計について透明性や公平性が要求されるということです。このことは、（自動運転に限らず、一般的な AI 利用への要請として）人工知能学会の指針や総務省の AI 利活用ガイドラインにも散見されるところです。ですから、日本でも、産、官、学、民が共通言語を用いてこれらの要請を満たした、自動運転の倫理ガイドラインが策定されるべきなのです。

　自動運転に関するステークホルダーは業種的にも多岐にわたり、それぞれ学問も分野も異なるため、共通言語がない状況で学際的に一つの「自動運転」を共創することになります。航空や電鉄とは異なり、自動運転車は、一般市民が身近に利用／使用できるモビリティであるため、倫理的問題が顕在化し、かつ、先鋭化した議論が要求されています。そのため、自動運転の ELSI（Ethical, Legal and Social Issues）については、単なるジレンマ状況・トロッコ問題に終始するのではなく、幅広い学際的な参加者のもと、透明性をもった議論の集積が必須です。これに関しては、多様性・他民族等を擁する諸外国のほうが、より人権に配慮する要請が高いため、自動運転の ELSI に関してかなりの進展が見受けられたところです（本章2.3-2.4節）。示唆を得られるところは得つつも、自動運転の業界において、社会および時代に沿った日本なりの倫理的配慮を伴った指針ないし方向性の呈示が必要です。

2.5.1　理想の人命保護とは

　かつて、ある有名な外国企業の重役が「我が社の自動運転車は、車内に

いる乗客を絶対的に優先して守る」旨の発言をしました。同社を選ぶ乗客にとっては喜ばしい設計ですが、自車の乗客を守るためには歩行者や他の交通参加者を犠牲にしてしまうプログラミングに対する批判を呼びました。さて、ここで考えたいのは、ヒューマンドライバーが運転をすべて担う場合、すなわち、レベル0・1・2（運転支援）の場合には、車内にいる運転手の安全性を高めた車両は評価が高かったはずであるということです（＝中の人を守る車ほど売れる）。

しかし、運転手が（一時的にでも）いない自動運転車両の話になると、車外の人の人命をいかに守るかといった論点に議論がかたよってしまいます。われわれ社会は、車外の人命も認識して守るという高い理想を自動運転車に押しつけているのかもしれません。

そもそも、歩行者や対向車の車内にいる者の年齢・性別をシステムが認識できるかというセンシングの技術的な問題はあります。しかし、仮にこれが可能であったとして、「車外の人物をセンシングして人数以外の要素も何らかの挙動の判断要素にする」必要があるか否かについて一定程度のコンセンサスを得ないと、メーカーの負担だけでなく、地域における社会的受容性の醸成を阻害するような問題も発生してしまいます。また、文化的な違いも顕在化することでしょう。

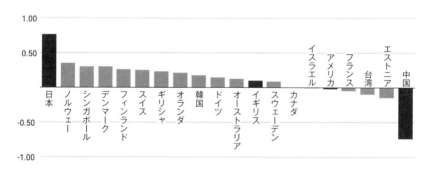

図2-5　MIT Review「乗客より歩行者を優先する国別比較」
※棒グラフが1に近いほど歩行者優先、－1に近いほど乗客優先、0が世界平均です。
（出典：https://www.technologyreview.com/2018／10／24／139313/a-global-ethics-study-aims-to-help-ai-solve-the-self-driving-trolley-problem/）

MIT（冒頭のトロッコ問題を研究するマサチューセッツ工科大学）レビューより、「乗客より歩行者を優先する国別比較（How countries compare in sparing pedestrians over passengers）」を紹介します。

この MIT の調査によれば、日本は左端で「歩行者優先」です。真ん中あたりにイギリス、少し右にアメリカがありますが、とくに歩行者も乗客も優先していません。一方、右端の中国は「乗客優先」であることがわかります。この時点で普遍的な真理などないことがわかりますね。

2.5.2　想定される事例

> 設例 大型の自動運転車（レベル3以上：運転はシステム）で走行中に、前方の道路が陥没し、制動しても間に合わずこのままだと陥没部分に落下してしまうという状況をシステムが認識しました。この際、左には歩道があり、歩行者が1名、右の対向車線には軽自動車（運転手含め2名乗車）が走っていることをシステムは認識しました。

この設例の場合、

> 選択肢
> ①制動をしつつそのまま陥没に直進する（自動運転車両の乗客は死亡または重傷）
> ②左の歩道に乗り上げ歩行者を轢き死亡させる（車両の乗客は軽傷または無傷）
> ③右の対向車線にはみだし、軽自動車と衝突し軽自動車の2名を死亡させる（車両の乗客は軽傷）

の三つ選択肢が考えられます。もっとも緊急時に制動だけでなく、車線を越えた操舵が保安基準を満たす（国際基準化がなされたと仮定して）ことが

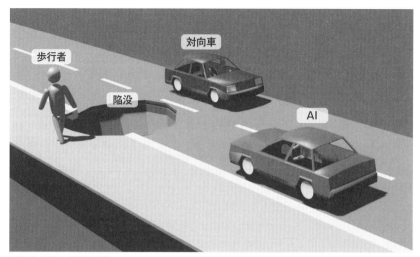

図 2-6　設例（陥没事例）
（出典：多摩大学経営情報学部・久永椋太作成の図を一部加工（文字追加））

前提です。

　もし、このような状況下をある程度一般化・抽象化してプログラミングすることが可能であるならば、どの判断をさせるべきでしょうか。

2.5.3　事例に対する検討［人間］

　もし自動運転ではなく、ヒューマンドライバーの場合であるとすると、一番人的な被害が少なく見える①の直進は、自分が死亡するリスクがあるため、選べません。生物としての自己保存本能（自分が助かろうとする）としては、ある意味正しいのかもしれません。ここで他の乗客を守るために自らの命を捨てた『塩狩峠』（三浦綾子著）のような自己犠牲は尊いものですが、自己犠牲を法は強制しないのです。そして、②か③を選んでも、実際には緊急行為であるため過失の前提となる注意義務は認めません。そして、（わざと歩行者や軽自動車にぶつけることの）故意犯の傷害罪（傷害致死罪または殺人罪）も、②や③以外に選ぶ選択肢がないため、「他行為可能性」がないことから、補充性（他にとるべき手段がなかったこと）が満た

され、刑法37条の緊急避難にあたり、違法性が阻却され、刑事責任は問われません。

2.5.4 事例に対する検討［システム］

では、これが人為的なプログラミングによるシステムの選択であったらどうでしょうか。メーカーのプログラマーの選択どおりにシステムが行動するため、プログラマーによるプログラミング行為の責任が問われることになります。「もっと最適なプログラミングができたはずなのに、それをしなかった」のであれば、注意義務違反としての過失（ミス）が、「あえて人を轢くプログラミングをした」とすれば故意犯（わざと）が問題になります。それぞれ、緊急避難を適用して無罪にしたいと思われますが、プログラミング時には、選択肢①〜③をゆっくりと吟味して選ぶことが可能なため、「他行為可能性がある」ことから、「**やむを得ずにした行為**」つまり、緊急避難の要件である**補充性**（唯一の手段であること、他にとるべき手段がなかったこと）が満たされない可能性があり、犯罪（過失犯または故意犯）が成立することがあります。

そのため、運転者がシステムである自動運転において、どのようなプロ

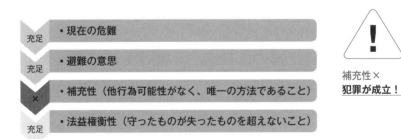

ジレンマ状況への対処を入力したプログラマーは
他の対処方法をプログラミングをすることもできたため、
「**他行為可能性がある**」＝「唯一の方法では**ない**」

充足	・現在の危難
充足	・避難の意思
×	・補充性（他行為可能性がなく、唯一の方法であること）
充足	・法益権衡性（守ったものが失ったものを超えないこと）

補充性×
犯罪が成立！

図2-7　緊急避難の要件充足

グラミングをすべきかは事故時の犯罪の成否に関わる重要な問題ですし、この点が懸念材料となり、開発における萎縮効果も認められます。

2.5.5 「人命最優先」の意味とは

では、どのようなプログラミングが最適なのでしょうか。「人命最優先」の人命をすべて平等に客観的に検討すれば、①（＝人的被害は最小であるが自己犠牲を伴う結果）が選択される。しかし、自己犠牲の選択肢を排除しない車両（＝自己犠牲型の車。表現が悪いですが）をわざわざ消費者が選ぶとは考えられないため、現実解とは思えません（裏を返せば、他人を犠牲にする車を買う、とも表現できます。この表現も悪いですね。）。

では、②はどうでしょう。①を除いた上で人的な被害が次に少ないのが②の選択肢です。もっとも、歩行者は、交通弱者であり、本来自動車は歩行者を優先し、歩行者に配慮をすることが要請されている状況であることから、②の選択はできないのです。さらには、自動運転車の輸送サービスの受益者が乗る車両が、受益者ではない他者を犠牲にすると考えても、やはり②の選択は難しいといえます。

③については、たしかに相手の軽自動車は同じ道路交通の参加者であるが、1名が乗る自車を守るため、2名が乗る軽自動車を犠牲にすることになり、功利主義的には許容できない選択肢となります（もちろん、功利主義が本当に正しいかも問題になります）。

このように、そもそも、「人命」といっても、交通参加者か否か、受益者か否か、自車の乗客を含むか否か、交通違反をして迫ってきた者も含むかどうか等、人間の一身専属的な属性（年齢・性別等）を問題とする以前に、「どういう状態にある人の人命か」という命題が存在するのです。

2.5.6 誰の人命が保護されるべきか

前項では、いわゆるトロッコ（トロリー）問題に見られるように、単純な人数比較により、功利主義的選択をするか、異なった選択をするかとい

う二者択一ではないことがわかったかと思います。

これについては、紹介したとおり、ドイツの倫理ガイドライン（規則8）では、「生命対生命のような真のジレンマにおける決定は、関係者の予測できない行動様式を含んだ具体的な実際の状況に左右される。それゆえ、かかる決定は、一義的に規範化できず、また、倫理的に疑う余地のないようプログラムすることもできない」と規定されており、ジレンマ問題についてはプログラミングが禁止されています。禁止するのは、ある種のあきらめに感じてしまう部分もありますが、指針を示したという点では評価できます。

日本でも、このような問題に対して一定の指針・通達がない限り、前章のような問題に直面してしまいます。

ですから、たとえば、以下のような指針が策定されるべきでしょう。

「交通事故を回避することによって守られる人命、交通の円滑さがもたらす人命は等しく尊重されなければならない」。

「自動運転車の設計においては、乗車側の人命のみならず、非乗車側の人命にも配慮して、等しく尊重されなければならない。ただし、『等しく尊重する』あり方については、社会的な議論に委ねるものとする」。

「いわゆるジレンマ状況等、人間が運転していた場合においても一義的・事前的な判断が困難である問題状況に対しては、広く社会的に受け入れられている価値観に配慮して自動運転システムを製造すべきである」。

※自動運転倫理ガイドライン研究会による指針案を参考に加筆修正

上記指針案は、自動運転倫理ガイドライン研究会に属する刑事法学、民事法学、哲学、研究倫理・生命倫理学、法哲学、元検事・弁護士、機械工学、交通工学、電気工学（メーカー）、電子工学（メーカー）、の10名によ

る議論のうえに策定されたものです。10 の分野から「人命」について議論を行っても、非常に多義的で階層的で、はたまた抽象的な討論となり、共通する定義を設定することは非常に難解かつ困難な作業でした。このことから、自動運転に関する指針策定において、一部の省庁・業界のみによる作業では十分な効果が得られないと思いました（経験談です）。

　ちなみに、研究会の構成員は表2-2です。

表2-2　自動運転倫理ガイドライン研究会構成員

樋笠尭士	（多摩大学経営情報学部専任講師・名古屋大学未来社会創造機構客員准教授・自動運転倫理ガイドライン研究会代表）
河合英直	（交通安全環境研究所自動車安全研究部長・自動運転基準化研究所所長）
谷口綾子	（筑波大学大学院システム情報系社会工学域教授）
樋笠知恵	（信州大学医学部助教・名古屋大学未来社会創造機構招聘教員）
松尾陽	（名古屋大学大学院法学研究科総合法政専攻現代法システム論教授）
中山幸二	（明治大学専門職大学院法務研究科教授）
岩月泰頼	（松田綜合法律事務所弁護士・名古屋大学未来社会創造機構客員准教授）
樋笠勝士	（岡山県立大学デザイン学部特任教授）
田中伸一郎	（株式会社ウーブン・コア　シニアテクニカルアドバイザー）
波多野邦道	（本田技研工業株式会社事業開発本部 ソフトウェアデファインドモビリティ開発統括部エグゼクティブチーフエンジニア）

※所属・身分等は 2022 年 9 月 1 日時点のもの

　本書の巻末に、参考資料として、2022 年 6 月 17 日のシンポジウムにて公開した指針案（220617 版）を紹介します。指針本体のあとには、その指針に関する注釈説明があります。もっとも、この指針は、産官学民の意見等を踏まえタイムリーな改定をしていく予定であり、研究会の公式ホーム

ページ（https://segad.jp/）や公開シンポジウム等でアップデート版を公表する予定です。

2章の参考文献

- 樋笠尭士「自動運転と倫理」自動車技術 2023 年 1 月号（77 号）pp. 48 - 53
- 樋笠尭士「自動運転における「人命」の多義性について――倫理ガイドラインの在り方――」安全工学シンポジウム予稿集 2022 年 7 月
- 樋笠尭士「AI と自動運転車に関する刑法上の諸問題――ドイツ倫理規則と許された危険の法理――」嘉悦大学研究論集 62 巻 2 号（2020 年）pp. 21 - 33
- 樋笠尭士「自動運転における責任――ドイツの倫理規則を手がかりに――」日本犯罪社会学会第 46 回大会〔2019 年〕要旨集（2020 年）
- 樋笠尭士「自動運転（レベル 2 及び 3）をめぐる刑事実務上の争点」捜査研究（847）pp. 46 - 62 2021 年
- 樋笠尭士「AI の自動運転とドイツ倫理規則」罪と罰 57（3）pp. 73 - 85 2020 年
- BMVI, *Ethik-Kommission Automatisiertes und Vernetztes Fahren*, Bericht 2017
- Policy paper, *Responsible Innovation in Self-Driving Vehicles*, 19 August 2022（Centre for Data Ethics and Innovation）in U.K.
- https://www.science.org/doi/10.1126/science.aaf2654
- 辰井聡子「自動運転の論点――倫理的、社会的観点から――」自動運転技術の動向と課題：科学技術に関する調査プロジェクト報告書〔調査資料 2017-4〕（2017 年）
- 小林傳司「ELSI および責任ある研究・イノベーション（RRI）について」学術の動向 2022.7
- https://fleetworld.co.uk/education-on-autonomous-vehicles-will-ensure-we-remain-in-right-lane-says-iam/（Education on autonomous vehicles will ensure we remain in right lane, says IAM）
- https://www.mlit.go.jp/report/press/jidosha08 hh 003888.html
- 19 ISOTC241-WG6 Progress-report.

3章

自動運転では
誰が責任を負うのか

手動運転なら、「ドライバー」が事故の責任を負います。しかし、「自動運転」ではどうでしょうか。たとえば、レベル4以降では、ドライバーがいないので、たとえば、遠隔で監視しているコントロールセンターの人や、車両を作ったメーカーの人、あるいは、車両を使う運行事業者であるバス会社等、誰が責任を負うかがわかりません。では、そもそも交通事故等の場合は、今まで誰がどのような責任を負っていたのか、そこから考えていきましょう。

　自動運転のレベルについては改めてこの図で確認しましょう

表3-1　自動運転のレベルと内容

	名称	定義	縦横方向運動制御	操縦の主体	万が一の備え	運行設計領域
0	手動運転	ドライバーが全ての運転タスクを行う。	ドライバー	ドライバー	ドライバー	なし
1	運転支援	システムによる横方向か縦方向どちらかの持続的な制御。	ドライバーシステム	ドライバー	ドライバー	制限あり
2	部分的自動運転	システムによる横方向と縦方向両方の持続的な制御。	システム	ドライバー	ドライバー	制限あり
3	条件付き自動運転	全ての運転タスクをシステムが実行。要求に応じてドライバーが適切に反応。	システム	システム	ドライバー	制限あり
4	高度自動運転	限定条件下で全ての運転タスクをシステムが実行。ドライバーの反応を期待しない。	システム	システム	システム	制限あり
5	完全自動運転	無条件で全ての運転タスクをシステムが実行。ドライバーの反応を期待しない。	システム	システム	システム	制限なし

3.1 自動運転レベル0～2の刑事責任
――一番普及している車の事故時の責任とは

　まず、手動運転の事故の場合にどんな法律が出てくるかを確認します。主に、道路運送車両法、道路交通法、自動車運転死傷等行為処罰法、刑法、民法、自動車損害賠償保障法等です。これらは大きく、事故が起こらないようにするための、「事前規制」と、事故が起こったあとの「事後規制」にわけることができます（図3-1）。

　安全な車をしっかりと定義する道路運送車両法と、ドライバーに適切な運転をするための義務を課す道路交通法が、事故を未然に防ぐために存在します（＝事前規制）。

　残念ながら事故が起きた場合には、「自動車の運転により人を死傷させる行為等の処罰に関する法律（自動車運転死傷等行為処罰法）」や刑法が登場します（＝事後規制）。

　よそ見をしながら運転していて人をはねて怪我をさせた場合に、過失運転致傷罪が問題となります。

　たとえば、自動車の運転により人を死傷させる行為等の処罰に関する法律の五条では、「自動車の運転上必要な注意を怠り、よって人を死傷させ

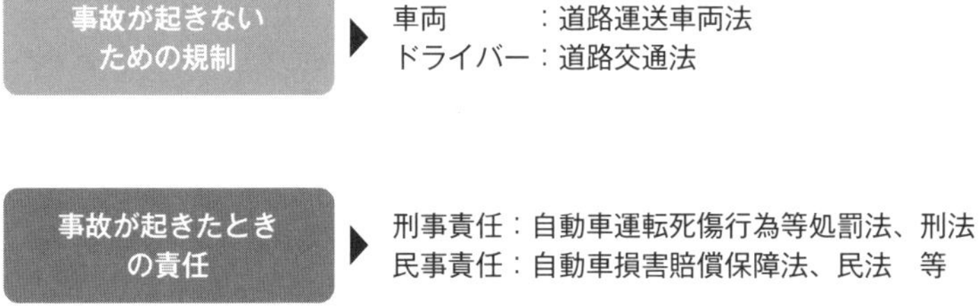

事故が起きない ための規制	▶	車両　　　：道路運送車両法 ドライバー：道路交通法
事故が起きたとき の責任	▶	刑事責任：自動車運転死傷行為等処罰法、刑法 民事責任：自動車損害賠償保障法、民法　等

図3-1　責任に関係する法律

た者は、七年以下の懲役若しくは禁錮又は百万円以下の罰金に処する。ただし、その傷害が軽いときは、情状により、その刑を免除することができる」とされています。

道路交通法 **安全運転の義務**

第七十条　車両等の運転者は、当該車両等のハンドル、ブレーキその他の装置を確実に操作し、かつ、道路、交通および当該車両等の状況に応じ、他人に危害を及ぼさないような速度と方法で運転しなければならない。

自動車運転死傷行為等処罰法 **過失運転致死傷**

▶第五条　自動車の運転上必要な注意を怠り、よって人を死傷させた者は、七年以下の懲役若しくは禁錮又は百万円以下の罰金に処する。

- -

▷「自然人」（運転手）が刑罰の対象である。法人は、刑事罰の対象ではない。

▷運転中の過失（不注意）がなければ刑事罰は科せられない。

よそ見をしながら運転していて人をはねて怪我をさせた場合の「よそ見」が「注意を怠り」にあたるわけです。

また、飲酒しながら正常な運転ができないことをわかったうえで、運転し、事故を起こした場合には、危険運転致死傷罪（2条）にあたります。

しかしながら、事故を起こした運転手が所属する企業、バス・タクシー会社には、刑事罰は科されません。刑罰としては、あくまで生身の人間が処罰対象です。法人の処罰ができなくても、運転手は処罰されるので、「誰も刑罰を科されないことで、被害者や遺族が怒りのやりどころがなくなる」ことはありません。

ですが、もうお気づきかもしれませんが、AIが運転している場合に事故が起きると、運転手はいないから処罰できないし、法人も処罰できない

し、という状況になり、「誰も処罰されない」こともあり得ます。これを日本社会が許せるのでしょうか。こういった問題があります。

では、レベル 0 の完全手動運転ではなく、縦や横の運転支援システム（第 1 章参照）がついた車の場合はどうでしょうか。これも、運転手が運転することは変わりがないので、責任をとるべき人が車内にいることになります。ただ、運転支援があることで、「注意を怠り」の部分、つまり、「注意義務」のところが変わってきます。

実際の事件と裁判を見てみましょう。とくに自動運転レベル 2 以下は、メーカーというよりも、運転する側の心構えと準備によって事故が起きるかどうかも変わります。ですから、裁判でメーカーの社名があがっていますが、どこのメーカーでも起こりうることかもしれません。ここで紹介するのは、横浜地裁令和 2 年 3 月 31 日判決です。

ドライバーは、平成 30 年 4 月 29 日午後 2 時 44 分頃、普通乗用自動車（テスラ、レベル 2）を運転し、神奈川県綾瀬市の東名高速道路上りの 29.7 km ポスト付近道路を厚木インターチェンジ方面から横浜町田 IC 方面に向かい進行していましたが、眠気を覚え、前を見るのが困難な状態になりました。しかし、眠気を覚えた状態のまま運転を続け、2 時 48 分頃、

- ドライバーが運転行為を行なっていて事故が起きているため、ドライバーが第一義的な責任主体になる。

- 自動車運転死傷行為処罰法第 5 条「**自動車の運転上必要な注意を怠り**、よって人を死傷させた者は、七年以下の懲役若しくは禁錮又は百万円以下の罰金に処する。ただし、その傷害が軽いときは、情状により、その刑を免除することができる。」

- **自動車運転過失致死傷罪**

ドライバーが「**注意を怠った**」かどうか

図 3-2　レベル 2 の事故の刑事責任

図3-3　東名高速　レベル2事故（2018年）の概要

上り29.2kmポスト付近で片側3車線道路の第3車両通行帯を進行中に仮睡状態になってしまい、そのまま約130メール進行し、2時49分頃、上り29.1kmポスト先道路において、自車の進路前方に停車していたバイクの存在に気づかずに、加速した状態で、バイク後部に自車を衝突させてしまいました。その衝撃でバイクは、前方に跳ね飛ばされて、前方に立っていたAと、座っていたBおよびCに順次衝突してその者らを路上に転倒させた上、自車右後輪でAを轢いてしまい、死亡させてしまいました。また、Bには全治12週間の傷害を、Cには全治9日間の傷害をそれぞれ負わせてしまいました。

　つまり、簡単に状況をまとめると、ドライバーは運転支援システムを高速道路で使っていて、レーンキープ（LKAS＝横）と追従機能（ACC＝縦）の運転支援で走りながら寝てしまったということです。そして、事故車両を見つけた前方の車が車線変更したところ、この車のシステムが「前方が空いた」と判断し設定速度に向けて加速して、倒れているバイクに気づかずバイクにぶつかってしまい、そのバイクが人に当たったという事件です。

　ドライバーが起きていれば、車線変更するなり、ブレーキを踏むことができたわけですから、ドライバーの「注意を怠り」が問題となったのです。

　この事件の判決文を見ながら、レベル2の事故でどのような法的判断が

なされるかを確認していきます。

判決文　レベル2には限界がある

（2）そして、被告人車に搭載されていた本件運転支援システムの機能には、自車と同一車線の前方を走行する車両を検知し、前車との車間距離や前車の速度を計測して、一定の車間距離を保つように速度を調整して走行する機能や、車線を検知して自車の位置を車線の中央に維持する機能等があり、被告人車は、被告人自身が操作をしなくても、本件運転支援システムの機能により、ある程度道路状況に応じて走行することができたものの、

本件運転支援システムは、自車前方の物体を検知できずに、静止した車両と衝突しないようブレーキをかけたり減速したりすることができなくなる場合がある等、いかなる状況においても適切に動作することを保証されたものではなく、

本件事故当時の被告人車のマニュアルにおいても、運転者は、本件運転支援システムが作動していたとしても、常に道路に注意を払い、いつでも必要に応じて対応できるようにすることが求められていた。

裁判所はレベル2の運転支援システムには、衝突防止のブレーキや減速に限界があることを認めています。

判決文　ドライバーの誤解を認めた？

また、本件運転支援システムは、自動車技術者協会が策定した運転自動化レベルの区分においては、レベル2（一部自動化）に区分されるものであるところ、**レベル2の自動化技術において、運転者は道路状況を監視する責任を有しており**、いつでも又は瞬時の通知に基づいて制御を実施すべきものであり、システムは警告なしに制御を中断することができ、運転者は、いつでも車を安全に制御する用意をしておかな

ければならないとされている。

そして、**被告人が、本件運転支援システムには自車を前方の物体の手前で停止させて衝突を回避する機能もあると理解していた可能性は否定できないが**（被告人は、ある一定以下のスピードであれば、本件運転支援システムの機能により、前方の物体に衝突しないだろうと思っていた旨供述するとともに、被告人車を購入する際、**本件運転支援システムにより、被告人車が前方の物体の前で停止すると説明された**旨供述している）。

さらに、裁判所は、運転者には道路状況を監視する責任があると認定しています。しかし、ドライバー（被告人）が、物体の手前で必ず止まる衝突回避機能があると誤解している可能性について触れています。また、ドライバーは、（ディーラーで）「運転支援システムにより物体に衝突しない」という説明を受けていたという主張をしています。

判決文 **会社の説明自体が誤解を生む？**

被告人車の製造開発会社社員が、捜査機関に対し、本件運転支援システムには、前車が加速すれば一定の車間距離を保って追従し、前車が止まれば続いて止まる機能がある旨説明していること、同社の社内研修資料には、本件運転支援システムの機能は、運転者を、車両をじりじりと進ませる操作から解放するため、少し進んでは停止する交通渋滞において最適であるなどという、交通渋滞において、**本件運転支援システムにより自車が停止することまで予定されていると解し得るような説明が記載**されていることに照らせば、このような被告人の供述を排斥することはできない。

そして、（ディーラーの）社内研修資料の記載に触れて、「運転支援システムにより車が停止する」説明があることから、ドライバーがそのような説明を本当にディーラー側から受けていた可能性を認めています。

ただ、これらの事実を前提にしても、ドライバーは、「何かあった時に運転を代わるという意識をもち続けて運転しなければいけない」という意識があり、また、「運転支援システムでは対応しにくい事態」についても当然理解していたはずとされています。

判決文 **イレギュラーの想像はつくよね…**

　被告人は、事故を防止する責任は基本的に運転者にあるという説明は受けており、被告人自身の認識としても、本件運転支援システムを作動させていたとしても、前方を注視し、何かあったときには運転を代わるという意識を持ち続けて運転しなければいけないと思って運転していたというのであるから、少なくとも、本件運転支援システムが道路状況に応じた適切な動作をしないことがあり得ることは理解していたと認められる。

　また、本件運転支援システムに対する被告人の認識を前提としても、**本件運転支援システムでは対応しにくい事態**（たとえば、他の自動車が、高速度で走行している自車の直前に急に割り込んできたり、前方から逆走してきたりした場合や、自車のタイヤがパンクする等の故障が起きた場合、前車の積み荷が路上に落下した場合等のさまざまな事態が考えられる。）が一般的に起こり得ることは明らかであるから、被告人は、本件高速道路という比較的本件運転支援システムを作動させるのに適した場所においても、前方を注視して自ら適切に被告人車を操作しなければ、**本件運転支援システムでは対応しにくい事態に対応できず、事故を回避できない場合があり得ることを当然理解していたはずである。**

　ここで争われているのは、「運転支援システムでは不十分で、自分でハンドル・ブレーキ操作をしないと事故が起きるかも」という認識がドライバーにあったかどうか、ということです。

　「注意を怠り」という注意義務違反は、「予見可能性（＝事故の結果が予想

- •「注意を怠った」＝注意義務違反＝過失

- •注意義務とは、結果予見義務と結果回避義務である。

- •その前提として結果予見可能性と結果回避可能性がなくてはならない。
  これが欠けると過失犯は成立しない。

図 3-4　注意義務

できた可能性）」と、「結果回避可能性（＝自分の行動で事故を避けることができる可能性）」の二つがないと認められません。簡単に言うと、事故が起きることを少しでも予想しておきながら、それを避ける動作をしなかったときに、注意義務違反（「注意を怠り」）といえるということです。

　ですから、裁判では、「予想できたか」と「避けることができたか」の二つを争います。被告人のドライバーは、車を購入した時の説明で「止まると説明された」ことを証明して、「車が障害物の前で運転支援システムにより自動で止まると思っていたから、事故が起きることを予想できなかった」と主張し、過失犯の「予見可能性」を否定しようとしているのです。

　では、これに対する裁判所の立場を見てみましょう。

判決文　予見可能性について

　強い眠気を覚えた時点で、本件運転支援システムが道路状況に応じた適切な動作をせず、又は本件運 転支援システムでは対応しにくい事態が生じたにもかかわらず、被告人が仮睡状態に陥る等して前方を注視できず、被告人車を適切に操作しないことによって事故が発生し

て人が死傷する危険があり、**被告人はそのことを予見し得た**と認められる。

このように、ドライバーに「予見可能性」が認められています。

そして、休息や運転の交代をすることができたこと、つまり、事故という結果を避けることができたという「結果回避可能性」が認められています。

> 判決文 **注意義務違反について**
>
> 以上に加え、被告人車が午後2時44分頃に走行していた地点から本件事故の現場までの間に、被告人車を本線車道にはみ出ることなく停車させることができる非常駐車帯が複数あり、そこで**一時休息したり同乗者と運転を交代したりすることも可能であった**ことを踏まえると、被告人は、前記のとおり前方注視が困難になるほど強い眠気を覚えた時点で、直ちに運転を中止すべき自動車運転上の**注意義務があったにもかかわらず、これを怠って**前方注視が困難な状態のまま運転を継続し、運転中止義務に違反したと認められる。

そのうえで、「予見可能性」と「結果回避可能性」の二つがそろったので、「注意義務違反」が認められ、有罪となりました。

ここで考えたいのは、ディーラー側から「障害物の前で車が止まる」と適切でない説明を受けていたとしても、レベル2の運転支援では、ドライバーに事故という結果の予見可能性が認められていることです。さらに、「システムで対応しにくい事態」に関する説明を販売会社側から詳しく受けていなかったとしても、運転支援では厳しい状況がいっぱいあることについての予見可能性は当然ドライバーに認められています。いわゆるイレギュラーな不測の事態に対しては、一般的にそのようなイレギュラーな事態が発生し得るとの認識が、自動運転レベル2（運転支援）であっても、一

般普通自動車であっても等しく同様に、ドライバーに対して認められるものとされていることがわかります。

では、このような事故を防ぐために必要なことは何でしょうか。運転支援システムを誇張せず、**ドライバーに「システムで対応しにくい事態」に関する説明をすること**です。

まず、メーカーは、走行環境・状況ごとに「運転支援の限界」をマニュアルに記載するよう努める必要があります。さらには、これを販売するディーラーは、「商売文句」「セールストーク」として、「障害物で止まってくれますよ！」を誇張しすぎないように注意する必要があります。自動運転レベル1 - 2は、「あくまで運転支援であり、ドライバーが油断してはいけないこと」を購入者に理解してもらう必要があるので、セールストークのなかで一瞬**ネガティブに聞こえるような話もする必要がある**のです。

ネガティブな情報を伝えると、そのお客様に車が売れないかもしれません。でも、「運転支援機能に頼りすぎてはいけない」という話を聞いて車を買うのをやめるようなお客様は、そもそもシステムに頼りがちで油断してしまうタイプなのですから、そんなお客様には買っていただかない方がいいかもしれません。購入者が、運転支援の限界であるネガティブ情報を

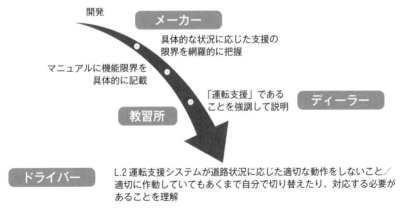

図3-5　ドライバーへの教育を時系列で考える

知ることに対して、売る側は、おっくうにならずに、丁寧に具体的に説明しましょう。理解して、適切に使ってくれたほうが事故が起きなくてすみますし、Win‐Win です。

　さらに、このディーラーの説明は、カーシェアでもまったく同じです。シェアリングも増加するなかで、説明書きを印刷した A4 のラミネート1枚を渡して、「読んでくださいね」「読めたらチェックをお願いします」という説明で済ませている事業所も多いかもしれませんが、**「運転支援機能に頼りすぎてはいけない」**という話や説明の図を必ず盛り込みましょう。

　さらには、やはり、ドライバーに向けた「教育」も大事です。加えて、社会全体にも説明しておく必要があります（受容性については4章参照）。

　たとえば、ALKS（「自動」車線維持支援システム、レベル3）を使った高速道路での自動運転を導入予定のイギリスでは、交通安全慈善団体（IAM Road Smart）が、「おそらく誤報や専門用語の多さが原因で、理論的にはイギリスの道路上の多くの衝突を減らし、何千人もの死傷者を救う可能性がある新技術を、一般の人々はまだ十分に納得していない。この信頼を得るために、**イギリスの運転免許試験に自動運転技術の適切な教育を盛り込み、運転者にその仕組みについて学ぶ機会を与える**ことを提言します。少なくとも、現在多くの人が当然抱いている不安を軽減する方向に向かうでしょう。しかし……これらのシステムに過度に依存することは、ドライバーと歩行者の両方にとって「潜在的に心配な」結果となり、交通安全に悪影響を及ぼす可能性があることも認識しなければならない」と主張しています。そういう意味では、CM 等で「自動！自動！」を売りにするのも危険です。レベル2までの運転支援であることを正しく伝える必要があります。これに関しては、自動車技術会の自動運転 HMI 委員会（筆者も参画）が 2022 年 12 月 20 日に、模擬裁判をしており、ディーラーの売り方やドライバーの教育などについて業界に提言などをしています。

3.2 自動運転レベル3の刑事責任
——いま最新の事故ケースとは

　2019年5月に道路運送車両法と道路交通法が改正され、道路交通法第71条の4の2の第2項第3号は、「当該運転者が、前2号（当該自動車が整備不良車両に該当しないこと、当該自動運行装置に係る使用条件を満たしていること）のいずれかに該当しなくなった場合において、直ちに、そのことを認知するとともに、当該自動運行装置以外の当該自動車の装置を確実に操作することができる状態にあること」と規定しました。難しいですが、これを言い換えると、自動運転レベル3のシステム起動中には、ドライバーは、第71条第5号の5の規定の義務（＝携帯電話禁止規定および画像注視禁止規定）を負わないということです。つまり、DVDを見たり、スマホをいじっても構わない、前方から目をそらして（＝**アイズオフ**）もいい、ということです。

　1章でお伝えしたとおり、日本でもレベル3の車両が既に公道を走行しています。システムが運転をしてくれている間は、「アイズオフ」すなわち目を離していいので、スマホをいじったり、動画を視聴したりすることができます。ただし、システムが運転を要求（「渋滞が終わりそうなので、自

スマホの画面を見る　　　　　ＤＶＤ・ナビで映像を見る

図3-6　自動運転レベル3でシステムが運転中にできること

動運転で走れるのもあと少しなので、バトンタッチしてください」とか、「自動運転ではキツイので、手動モードにしたいです」という意味です）してくることがあります。これが、テイクオーバーリクエスト（TOR）です。テイクオーバーをリクエストされると（音が鳴ったり、ハンドルが光ったり、シートベルトが震えたりします）、ドライバーはすぐに運転に戻らなくてはいけません。それが先ほどの条文の「直ちに」が言わんとしていることです。

　でも、動画を見ている途中に急に「操作をしてください」とテイクオーバーリクエストが来て、運転を要求されたドライバーには、時間的・心理的にみて、危険の回避に向けた適切な対応をとることが一般的に困難です。

　急な割り込み車に対応する実証実験においては、熟練ドライバーも、リスクの認知に1.9秒、判断してブレーキを踏むのに1.25秒、ブレーキの制動に0.3秒がかかるとされています。ですから、一般的な割り込み事案の場合に、ドライバーが対応動作をなすには約3.45秒以上の時間がかかります。さらに、テイクオーバーの要請前に何らかのセカンドタスク（スマホ操作・ゲーム等）を行っていたドライバーは、①テイクオーバーの要請（TOR）に反応し、②そのタスクを中止（ゲームをやめる）してから、③リスクを認知（障害物だ！）することになるので、ワンクッションの動作が入って行動が遅くなります。

　場合によっては、リスクの認知より前に②（ゲームをやめなきゃ）の動作が介在することによって、少なくともそこで約4秒は加算され、テイクオーバー後のドライバーがブレーキ制動をするまでに最低でも（3.45秒＋4秒で）約8秒もの時間がかかる可能性があります。そうすると、たとえば、時速60km（高速道路でレベル3をしながら速度が上がるとこのくらい）の速度で進行する車をブレーキで制動するまでに8秒かかるので、進む距離は約133mです。ちなみに、自動運転車に搭載されているセンサーである「ミリ波レーダー」の感知距離は150mくらい（性能が良ければ200mもあり得ます）です。ミリ波レーダーは、ミリ波（電磁波のなかで波長が1～10mm）を照射し、対象物等から反射して戻ってくるまでの時間から障害物までの

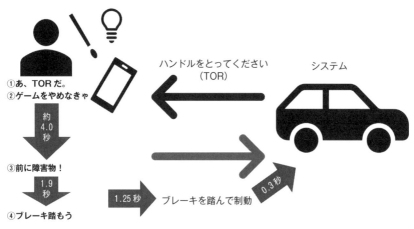

オーバーライド要請（TOR）にすぐ応えられる？

①あ、TORだ。
②ゲームをやめなきゃ

約4.0秒

③前に障害物！

1.9秒

④ブレーキ踏もう

ハンドルをとってください（TOR）

システム

1.25秒　ブレーキを踏んで制動

0.3秒

図 3-7　テイクオーバーリクエスト（TOR）への反応時間

距離を測るものですが、段ボール等の反射率の低い対象物を検知しづらいという弱点もあります。

　では、障害物（車や人等）の**150m手前**で、ミリ波レーダーによりシステムがリスクを認知してテイクオーバーを要請してきたら、理論上は、ドライバーが「直ちに」（8秒で）応じたとしら、**133m**進んでぎりぎり障害物**17m手前**で止まれます。ただ、慌てたり、すぐにセカンドタスクの動画視聴をやめなかったりして、**あと1秒動作に時間がかかってしまうと**、止まるまでに**149.9m**かかります。本当にぎりぎりですね。

　つまり、セカンドタスクに集中しすぎると、ぎりぎりの場合になるわけで、場合によっては衝突事故が起きてしまうことも考えられます。ただし、かといって、せっかくレベル3に乗っているのにスマホやDVD等のセカンドタスクを全くするなというわけではありません。2022年の交通安全環境研究所の研究成果（令和4年度講演会資料）では、セカンドタスクをしている人のほうが、何もしていない人よりも、テイクオーバーリクエストに対する反応が良いケースも報告されています。セカンドタスクにより脳が覚醒しているので、ぼぉーと眠くて前を見ているより反応が早いケース

もたしかに考えられます。

　では、ここで、テイクオーバーリクエストであまりに動揺して、テイクオーバー行為が遅れて、トータル9秒かかって、事故が発生した場合を考えてみましょう。

　ドライバーは、必死にテイクオーバーに応じようとしていたけれど、パニックだった場合はどうでしょうか。そのドライバーにとっての最短が9秒であったわけで、これ以上できることがなかった（もちろん、セカンドタスクもすぐ止めていた）ならば、「注意を怠り」の注意義務のうち、「結果回避可能性」が認められない可能性があります。そうすると、ドライバーは無罪になります。

　一方で、セカンドタスクに集中しすぎて、テイクオーバーリクエストが来ているのになかなかセカンドタスクを止めなかった場合には、道路交通法の「直ちに、そのことを認知するとともに、当該自動運行装置以外の当該自動車の装置を確実に操作することができる状態」ではなかったわけですから、既に道路交通法違反があるうえ、やろうと思えば（セカンドタスクをやめていれば）すぐ車の操作をできたわけですから、刑法の注意義務のうち、「結果回避可能性」も認められることになります。事故の予見可能性も認められるでしょうから、この場合は、自動車運転過失致死傷罪が成立します。では、次は、自動運転レベル4（無人）を見ていきましょう。

3.3 自動運転レベル4の刑事責任
── 運転者がいない事故の責任とは

3.3.1 改正道路交通法の特徴

2022年4月19日、自動運転レベル4を許容する「道路交通法の一部を改正する法律」（以下、改正法）が可決され、パブリックコメントを経て、2023年4月1日から施行されました。自動運転レベル4は、システムがすべての動的運転タスクおよび作動継続が困難な場合への応答を限定領域において実行するものをいます。言い換えると、ある領域内はすべてシステムが運転してくれるということです。つまり、車内はもちろん、遠隔においても「運転者」が存在しない自動運転が法律で許されるようになるのです。

道路交通法改正法の特徴

- 改正法は、道路において、自動運行装置を当該自動運行装置に係る使用条件で使用して当該自動運行装置を備えている自動車を運行することを「特定自動運行」と定義し、「運転」の定義から除くこととする等、特定自動運行の定義等に関する規定を整備する。
- また、各公安委員会が事業者に対するレベル4の自動運転を許可する制度が創設されているが、許可の際には、**公安委員会は市町村長の意見を聴く必要がある**とされ、地域での受容を前提とした運用となっている。
- これに加え、公安委員会が、必要な条件を付することもでき、地域の交通特性に合致した柔軟な社会実装が可能となると思われる。

改正法は、自動運行装置を備えている自動車を運行することを「**特定自動運行**」と定義し、「運転」の定義から除くこととする等、特定自動運行

の定義等に関する規定を整備しています。また、各都道府県の公安委員会が事業者に対して、レベル4の自動運転を許可する制度が創設されていますが、許可の際には、公安委員会は市町村長の意見を聴く必要があるとされ、地域での受容を前提とした運用となっています。これに加えて、公安委員会が必要な条件を付することもでき、地域の交通特性に合致した柔軟な社会実装が可能となります。

経済産業省の「自動運転レベル4等先進モビリティサービス研究開発・社会実装プロジェクト」（筆者も参画）では、2025年度以降に都市間の高速道路でレベル4自動運転トラックを実現し、また大都市等の市街地を想定して、2025年頃までに協調型システムにより混在交通下においてレベル4自動運転サービス（つまり、インフラと連携して普通の歩行者や車が混ざった交

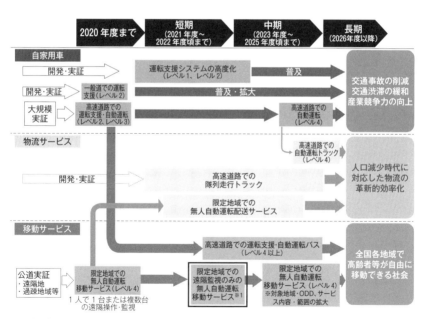

※1：無人自動運転移動サービスの実現時期は、実際の走行環境における天候や交通量の多寡など様々な条件によって異なるものであり、実現に向けた環境整備については、今後の技術開発等を踏まえて、各省庁において適切な時期や在り方について検討し、実施する。

図 3-8　自動運転の市場化・サービス実現のシナリオ
（出典：官民 ITS 構想・ロードマップ 2020（2020 年 7 月 15 日 高度情報通信ネットワーク社会推進戦略本部等決定））

通での無人運転）を展開するとされていることから、その第一歩として、まずは、自動運転レベル4の「法整備」ができたことになります。

一方で、現在、自動運転レベル3のサービスカーが運行をしているのは1ヶ所にとどまります。自動運転レベル4の早期実装が見込まれている福井県永平寺町では、レベル4の社会実装に向けて、その一歩前の「レベル3における**遠隔監視**実証実験」を行っています（レベル4の申請もする予定です）。

「永平寺参ろーど」で、経済産業省および国土交通省のプロジェクト（「高度な自動走行・MaaS等の社会実装に向けた研究開発・実証事業」）のなかで、「専用空間における自動走行等を活用した端末交通システムの社会実装に向けた実証」（＝他の車等が走っていない空間で遠隔で管理するもの）として、遠隔監視センターを設けて、自宅近くと最寄り駅の間等、短中距離を補完するラストマイル自動運転に係る実証実験が実施されています。同実証実験では、操作者1人が、無人自動運転車両3台の遠隔車両管理を行っています（いわゆる**1対3監視**）。これはモニタールームで車両の操作ができるので、運転者が「遠隔」ですが、「存在」するものです。

もっとも、現在レベル3で鉄道廃線跡の公道約2kmの区間を最高時速12kmで遠隔監視走行中ですが、ルート上に右左折がなく、直線が多いため、同町での監視の枠組みが他地域において直ちに応用できるとは限りません。

ちなみに、永平寺町の取り組みに関する報告書では、「事故発生時の措置については、遠隔による対応がどこまで許容されるか。レベル4の運用時において、遠隔監視及び運行管理側にどのような対応が要求されるか。

図3-9　自動運転 ZEN drive（出典：永平寺町 https://www.town.eiheiji.lg.jp/200／206／208/p010484.html）

また、責任はどこまであるか。」との意見がみられます。つまり、レベル4の無人の自動運転において、遠隔監視する人が、どこまで介入していいのか、さらには、介入しすぎると（事故時等に）責任が問われる可能性があるのか、ということが目下の疑問点だということです。

　加えて、警察庁による業者ヒアリングの結果（「SAEレベル4自動運転の実用化に向けた課題や要望」：23主体中15主体が回答）では、「関与者や乗客の位置付けの明確化」「遠隔の関与者が複数車両を同時監視する場合の位置付け」「走行開始や緊急停止等を乗客が行う場合の位置付け」「運転操作以外の義務に対する実施主体の位置付け」等が業者としての関心事であることが示されています。つまり、誰が何をしていいか、どこまでやるべきか、お客さんは何ができるかを知りたいということです。

　このように、自動運転レベル4では、運転者が車内に存在しない状況となるため、道路交通法の「主体」に関する問題や、遠隔監視者の義務等、「自動運転に携わる者」の責任が問題となります。改正法では、「特定自動運行実施者（＝自動運転の事業者のこと）」「特定自動運行主任者（＝自動運転を監視する人のこと）」「現場措置業務実施者（＝事故時等に助けにいく人）」等の新たな主体が規定され、各人に道路交通法上の義務が課されています。自動運転レベル2の刑事裁判ですら超難解（3.2節で見たとおり）でした。さらに、レベル4の自動運転では、車内に特定自動運行主任者がいるかどうか、現場措置業務実施者を外部委託するかどうかをはじめ、遠隔監視のコントロールセンターがあるかないか等も、各地域・各事業者により異なるため、より一層、裁判が複雑になりそうです。

3.3.2　緊急時には車両が自ら停止する（MRM）が前提

　そんなレベル4の自動運転について、主体ごとに義務や責任を見ていきますが、まずは、レベル5と4の違いを確認します。レベル5は、完全自動運転なので、一切人の動作がありません。しかし、レベル4は、運行設計領域を出てしまったり、通信が遮断されたり、工事中の道に差しかかっ

たりという「システム限界」を含み、一定の領域内でしかシステムが運転しません。あとは、業者が来て「再起動」をしたり、場合によっては「遠隔操作」したりするケースもあり得ます。

　ちなみに、システムが止まるとき、車両は、リスク最小化状態にするための動作（＝ミニマムリスクマヌーバー（MRM））が始まります。これに関しては改正法にも義務が規定されています。

道路交通法改正法 **第二条第一項十七の二号**

特定自動運行道路において、自動運行装置（当該自動運行装置を備えている自動車が第六十二条に規定する整備不良車両に該当することとなったとき又は当該自動運行装置の使用が当該自動運行装置に係る使用条件（道路運送車両法第四十一条第二項に規定する条件をいう。以下同じ。）を満たさないこととなったときに、直ちに自動的に安全な方法で当該自動車を停止させることができるものに限る。）を当該自動運行装置に係る使用条件で使用して当該自動運行装置を備えている自動車を運行すること（当該自動車の運行中の道路、交通及び当該自動車の状況に応じて当該自動車の装置を操作する者がいる場合のものを除く。）をいう。

　この条文の「直ちに自動的に安全な方法で当該自動車を停止させることができる」の文言は、ミニマムリスクマヌーバー（MRM）を示しています。ミニマムリスクマヌーバーは、人間がシステムから運転を引き継げないときに、安全に車両を停止させるための技術をいいます。つまり、ピンチのときに勝手に安全状態にしてくれる機能です。レベル３のものですが、国連 UNR‐157 の定義（ECE/TRANS/505/Rev.3/Add.156、4 March 2021）によれば、「MRM とは、交通における**リスクを最小化**することを目的とした手順で、運転者の反応なしに、テイクオーバーリクエストの後や、または重度の自動車線維持システム（ALKS）や車両故障の場合に**システムによって自動的に実行されるもの**を意味する」とされています。

これに関して、国土交通省の「自動運転車の安全技術ガイドライン（2018年9月）」8頁の「（7）無人自動運転移動サービスに用いられる車両の安全性（追加要件）」の1でも、「設定されたODD（＝運行設計領域）の範囲外となった場合や自動運転車に障害が発生した場合等、自動運転の継続が困難であるとシステムが判断した場合において、**路肩等の安全な場所に車両を自動で移動し停止させるMRMを設定すること**」とされています。さらに、2021年に世界でいち早く改正道路交通法を発効したドイツ改正法1d条4項も「……**最も安全な場所で自らを停止させ、危険警告灯を作動させる状態をいう**」とされ、このように、世界標準でも、車内で「運転」できる者がいない自動運転レベル4では、緊急時には車両が**自分で**、車両を安全な状態に置く必要があることから、MRMの設定を法で定めることが重要となっています。

他方、改正法第二条第一項十七の二号の「当該自動車の運行中の道路、交通及び当該自動車の状況に応じて当該自動車の装置を操作する者がいる場合のものを除く」の部分は、レベル3と4の混合形態についての記載となっています。ODD（＝運行設計領域）外等で自動運転が継続できなくなった際に、「操作」をする者がいるならば、それは、たとえ車内にその者がいなくても、「運転行為」ですから、レベル3のテイクオーバー型と同様であり、純然たるレベル4（無人）ではないからです。ここらへんは運用方法によってもいろいろ変わるので、レベル3.5みたいなケースも想定できるでしょう。

では、「**ピンチになったら自動でMRMが発動する**」ということを前提にして、「特定自動運行実施者」「特定自動運行主任者」「現場措置業務実施者」等の主体について考えていきましょう。

3.3.3　特定自動運行実施者が許可を得る仕組み

2023年4月1日施行の改正道路交通法は、自動運転レベル4を用いた移動サービスを行う事業者を、特定自動運行実施者と規定します。バス会社

やタクシー会社を想像するとわかりやすいです。

①特定自動運行計画を立てる

②遠隔監視装置（モニタールーム）などを設置する

③遠隔監視を行う特定自動運行主任者を配置する。

④特定自動運行主任者などに教育をする。

⑤自動運転で対応できない事態が発生したとき（警察官の現場指示、交通
　事故時など）に誰がどう対応するかの措置を決めておく（あらかじめ特
　定自動運行主任者が同乗しておくか、現場措置業務実施者を送り込む等）

　これら①〜⑤について特定自動運行実施者は申請書を作成し、自動運転
レベル４を実施したい各都道府県公安委員会に提出します。一方、各都道
府県公安委員会は、申請された計画などを吟味し、その市町村長から意見
を聴きます。ここで、地域の意見が（市町村長を通じて）反映されることに
なります。そのうえで、各都道府県公安委員会が、特定自動運行実施者に
自動運転レベル４の運行許可を出します。

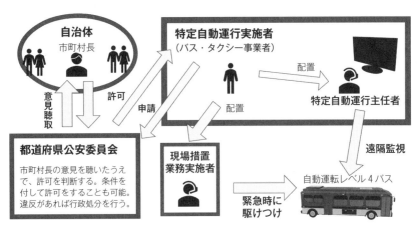

図 3-10　特定自動走行の許可制度と運行イメージ

3.3.4 特定自動運行実施者の教育義務

> 道路交通法改正法 **第七十五条の十九**
> **（特定自動運行を行う前の措置）**
> **特定自動運行実施者**は、次項の規定により指定した特定自動運行主任者、第三項の規定により指定した現場措置業務実施者その他の特定自動運行のために使用する者（以下「特定自動運行業務従事者」という。）に対し、第七十五条の二十一、第七十五条の二十二及び第七十五条の二十三第一項から第三項までの規定による措置その他のこの法律及びこの法律に基づく命令の規定並びにこの法律の規定に基づく処分により特定自動運行業務従事者が実施しなければならない措置を円滑かつ確実に実施させるため、内閣府令で定めるところにより**教育を行わなければならない。**

　この条文によれば、教育を行う主体は、特定自動運行実施者（＝自動運転の事業者のこと、バスやタクシーの事業者）で、教育の対象は、特定自動運行主任者（監視をする人）や現場措置業務実施者（＝助けにいく人）等です。特定自動運行実施者が主体となるのは、無人自動運転移動サービスの前提となる交通ルールや自動運転システムに関する知識やその性能に応じた対応等について熟知している必要があるからです。つまり、「どう監視すべきか」「いつ助けにいくか」について、一番詳しいのは、すべてを計画する自動運転の事業者だということです。

　一方、先に改正したドイツ道路交通法1f条3項5号（製造者の義務）に目を向けると、「とくに運転機能および技術監督者（＝ドイツの遠隔監視者）の業務遂行に関して、……自動車運行関与者（＝自動運転の事業者等）に対し、教育を行わなければならない」とあり、ドイツでは、教育義務の主体は、「**製造者（メーカー）**」です。というのも、レベル4の車両の技術面を

表 3-2　EasyMile のオペレーター　スタッフ＆トレーニングに対する要求事項

	対応場所	役割責任	EM/SAS による トレーニング
セーフティ・ オペレーター	オンサイト、 乗車、自律 牽引車近隣 （フォロワー）	車両の安全な操作とメンテナンスを保証。	セーフティー・ オペレーター
フィールド・ オペレーター	オンサイト、 コース近隣 （5 分以内の 場所）	No-Op 仕様のセーフティ・オペレーターと同 様のトレーニング。常に操作に介入できるよ うにする。要特定のトレーニング：特殊環境 下における操作意識と操作反応を常に意識し ておく。	セーフティー・ オペレーター チーフ・ オペレーター
チーフ・ オペレーター	オンサイト	高度オペレーター・トレーニング。チームを 感知し、高度な運用と車両メンテナンスが実 施出来る。	チーフ・ オペレーター
監督者	コントロール・ センター	リモートでの安全操作を保証するための役割： ● オペレーションの監視及びサポート 　（セーフティー・オペレーター有り） ● セーフティ・オペレーターが登場していな 　い場合には、サービスの監督及び、管理	交通監督者

緊急対応時のために消防等からの救急トレーニングを受講しておくのが理想

（出典：警察庁・令和 3 年度自動運転の実現に向けた調査検討委員会第 2 回（2021 年 7 月 7 日）配布資料 8
https://www.npa.go.jp/bureau/traffic/council/08.pdf）

理解したうえで遠隔監視をするためにはメーカーによる教育が一番有効だからだそうです。これに限ってみると、日本のように特定自動運行実施者（＝バス、タクシー会社）が、遠隔監視を行う特定自動運行主任者に対して技術的な内容をメーカーの協力なしに上手く教育できるのかという疑問が生じますよね。

　もっとも、警察庁の資料にも登場する（1 章に写真があるフランスの）イージーマイル（EasyMile）社では、使用する車両に沿ったコントロールセンターの教育・トレーニングを定めていて、「監督者」「セーフティー・オペレーター」「フィールド・オペレーター」「チーフ・オペレーター」等（複雑に見えますが）独自の役割を設定しています。監視のオペレーターにも種類やレベルがあり、それぞれ適切な教育をしているということがわかります。このような企業も存在するため、車両設計者・メーカーとの連携を前提にすれば、特定自動運行実施者による教育も奏功すると思います。

一号方式 ＝主任者がリモートで遠隔監視

> **二号方式**＝車両にその監視者（主任者）が自ら乗り込んで運行チェック

　また、後述のとおり、一号方式（遠隔監視者が車両に同乗しないタイプ：普通のリモート監視。事故時に救護義務があるかないかが一号方式か二号方式で変わります）では、自社と委託関係にある現場措置業務実施者に指示を出すことも求められます。また、二号方式（遠隔監視者が車内に同乗するタイプ）による特定自動運行主任者は、車内にいるので、事故時等の救護義務を負うことにもなるため、メーカーによる教育よりも、実際に運行する主体である特定自動運行実施者が教育を担当することがより実益があると思います。

　ここでお気づきの方もいるかと思いますが、車内に同乗したり、リモート監視したりと、レベル４の自動運転では、誰かに管理されチェックされていることになります。つまり、**自家用車（オーナーカー）よりも、バスのようなサービスカーがまずは想定されている**ことがわかります。無人で動くバスか、バスの中に管理をする特定自動運行主任者が同乗しているか、そのどちらかが社会実装のスタートでしょう。運行領域を設定して事前にルート・運行条件を設定する以上、一般自家用車での運用は難しく、一般車を遠隔で監視するのは、かなり後になりそうです。

特定自動運行主任者の配置

　同じ「特定自動運行主任者」であっても、交通事故時には一号方式の特定自動運行主任者には、

①現場措置業務実施者を現場に派遣する義務

②消防・警察への通報義務

が負わされる。

　二号方式の場合には、車両に乗っている特定自動運行主任者自身に**負傷者の救護・危険防止措置**が要求される。

　さらには、特定自動運行実施者の教育義務違反による死傷結果発生等の

ケース（主任者に対してちゃんと研修していなかったことで、事故時の対応が遅れた等）も想定されます。どのような状況下でどのような行為をとるべきかについてどこまで網羅した教育がなされるかは特定自動運行実施者（＝バス会社）のサービス営業形態ごとに異なります。したがって、教育義務を果たしていたかが検討される際には、（警察の）捜査において同種の交通地域における同業者の教育内容を調査し、一定の水準を見出す作業が必要になるでしょう。

さらには、上述の「監督者」「セーフティー・オペレーター」「フィールド・オペレーター」「チーフ・オペレーター」等の職務の内容およびそれに伴う教育（トレーニング・研修内容）と、一号・二号方式の特定自動運行主任者の義務がどう対応するかもよくわかりません。ですから、教育義務違反に関する捜査においては、個別に特定自動運行実施者ごとの具体的な職務の分掌が厳密に調べられることになります。

3.3.5　特定自動運行主任者の配置

第七十五条の二十　特定自動運行中の遵守事項

特定自動運行実施者は、特定自動運行中の特定自動運行用自動車について、次の各号のいずれかの措置を講じなければならない。

一　当該特定自動運行用自動車の周囲の道路及び交通の状況並びに当該特定自動運行用自動車の状況を映像及び音声により確認することができる装置で内閣府令で定めるものを第七十五条の十二第二項第二号ハに規定する場所に備え付け、かつ、**当該場所に特定自動運行主任者を配置する措置**

二　七十五条の二十三第三項の規定による措置その他の措置を講じさせるため、**特定自動運行主任者を当該特定自動運行用自動車に乗車させる措置**

2　特定自動運行実施者は、特定自動運行を行っているときは、内閣

府令で定めるところにより、当該特定自動運行用自動車の見やすい箇所に特定自動運行中である旨を表示しなければならない。

　条文は難しく見えますが、簡単に言うと、「一号方式では、コントロールセンターに遠隔監視をする特定自動運行主任者を配置し、モニターを用いて監視をさせましょう」いうことです。一応、一般自家用車（オーナーカー）も対象になると考えられます。これに対して、二号方式では、自動運転レベル4の車両の内部に監視をする特定自動運行主任者が同乗する仕組みです。二号方式は、主にバス等のサービスカーが想定されます（自家用車の後部座席に監視者が座っていたら恐いですもんね……）。

　たとえば、バスの運転席にあたる位置、あるいは後方に特定自動運行主任者が座ることになるでしょう。この二つの方式が用意されていることから推測すると、「特定自動運行用自動車の状況を映像及び音声により確認する」ことを担保するために、外部における遠隔監視（一号方式）と、内部に同乗することによる直接監視（二号方式）の2類型が規定されたと思われます。

　ですから、同じ監視の任務である「特定自動運行主任者」であっても、一号方式の特定自動運行主任者には、交通事故時に①現場措置業務実施者（助けにいく人）を現場に派遣する義務、②消防・警察への通報義務が負わされます。これに対して、同乗する二号方式の場合には、後述のように車両に乗っている**特定自動運行主任者自身**に負傷者の救護・危険防止措置（事故時に怪我した人を助けること等）が要求されます。

　したがって、特定自動運行主任者に対する教育・研修としては、一号方式・二号方式どちらにも対応できるよう、救護や危険防止措置を含めた教育プログラムを策定するか、完全なコントロールセンター型として一号方式のみの教育研修を行い、事業展開によっては個別に二号方式の特定自動運行主任者に対処する等が必要でしょう。また、同じ特定自動運行実施者であっても、地域により一号・二号方式を組み替える場合も想定されます。

そのため、事故時の警察の捜査においては、第一に当該車両を運行する特定自動運行実施者の、当該地域における事業モデルがいかなる形態か等を特定する必要があり、当該地域の公安委員会に提出されている計画書を中心に、教育実施等の内実と特定自動運行主任者の配置パターンを把握する操作が行われることでしょう。

3.3.6 特定自動運行主任者の義務

| 第七十五条の二十一 | 特定自動運行主任者の義務

前条第一項第一号の規定により配置された特定自動運行主任者は、当該特定自動運行用自動車が特定自動運行を行っているときは、同号に規定する装置の作動状態を監視していなければならない。この場合において、当該装置が正常に作動していないことを認めたときは、当該特定自動運行主任者は、**直ちに、当該特定自動運行を終了させるための措置を講じなければならない。**

2　特定自動運行主任者は、道路において特定自動運行が終了したときは、直ちに、次条又は第七十五条の二十三第一項若しくは第三項の規定による措置その他のこの法律及びこの法律に基づく命令の規定並びにこの法律の規定に基づく処分により特定自動運行主任者が実施しなければならない措置を講ずべき事由の有無を確認しなければならない。

以下では、同条一項の特定自動運行主任者の義務をわかりやすく理解するために、設例1をもとに、義務違反の具体的なケースを検討します。

設例1　一号方式（リモートセンターで監視）の特定自動運行主任者Xは、1人でA車、B車、C車の3台の監視を行っていたところ、A車が事故車両を避けるために対向車線にはみ出したまま対向車線を走行

してしまっていることを認識した。

これとほぼ同時に、別の場所でB車が交通事故に巻き込まれ、MRMが起動され、路肩に停止したことを確認した。

さらに、同じタイミングで、先行車両が路肩に車を停止し始めたのをC車のセンサーが検知し、C車は自動で安全に停止した（特定自動運行終了）。

これらをモニターで見ていたXは、C車の近くに別件の緊急車両（救急車）が接近してきていることを映像および音声で認識した。

Xは、まずA車につき、直ちに特定自動運行を強制終了する指示を出したが、間に合わず、対向車ZにA車がぶつかり、Z車を損壊した。同時に、C車につき、緊急車両の場合の対処（路肩に寄せて道を譲る）についてすぐに応じつつも、B車の車内から助けを呼ぶ声が聞こえていることから動揺し、（本来、B車の事故現場に助けにいくはずの）現場措置業務実施者に対して誤ってC車の位置情報を与えてしまい、B車の事故現場に現場措置業務実施者が駆けつけなかったことが原因で同所でYが死亡してしまった。

一号方式の特定自動運行主任者Xが1人で3台を遠隔監視

A車
対向車線に
はみ出す

対向車Zにぶつかり
Z車を損壊

B車
交通事故で
MRM

現場措置業務実施者が
駆けつけずYが死亡

C車
緊急車両
接近

路肩に寄せて
道を譲った

図3-11　3台遠隔監視

本設例では、まず、Ｚ車の損壊につき、これが、「ミス（＝過失）」であれば、改正法第百十六条二項「特定自動運行を行う者又は特定自動運行のために使用される者が業務上必要な**注意を怠り**、又は重大な過失により、特定自動運行によって他人の建造物を損壊したときは、六月以下の禁錮又は十万円以下の罰金に処する」に該当する可能性があります。

　もっとも、ＸがＡ車の異常な走行を認識してからすぐに（＝直ちに）終了の措置をとっていることからすると、（すぐ終了しても損壊を避けられないのであれば）結果回避可能性が認められず、「注意を怠った」ことにならず、無罪もあり得ます。

　これに対して、Ｙとの関係においては、第七十五条の二十三の第一項「現場措置業務実施者を当該交通事故の現場に向かわせる措置」（＝Ｂ車の事故現場に救助の人を送り込む措置）を適切に講じておらず、第百十七条の三「特定自動運行において特定自動運行用自動車の交通による人の死傷があつた場合において、第七十五条の二十三（特定自動運行において交通事故があった場合の措置）第一項前段又は第三項前段の規定に違反したとき（特定自動運行主任者が違反した場合に限る）は、当該違反行為をした者は、五年以下の懲役又は五十万円以下の罰金に処する」（＝事故時の義務に違反して人を怪我させたり死亡させたときの罪）に該当することになります。

　１人の特定自動運行主任者が３台を監視することが可能であることが前提となりますが、そもそも、１対３の監視に無理があるのであれば、（結果を防ぐことができないため）結果回避義務がないことになります。ちなみに、１対100監視をやらせて（ブラック企業ですね）いたら、その管理体制自体に責任（刑法の業務上過失致死傷罪等）が問われるケースも想定されそうです。この点では、福井県永平寺町の実証実験のデータ（１人で３台のモニター監視をすることの負荷とかの情報）の蓄積に期待したいです。

　また、第七十五条の二十二等によれば、警察官の現場対応、緊急車両への対応、駐車場所の指示等、特定自動運行主任者が対応すべきイレギュラーな事態は多く規定されています。したがって、訓練を受けていても同じ

タイミングに複数の事象が発生すれば特定自動運行主任者があせって動揺することはあり得ます。

さらに、改正法とは直接関係しませんが、自動運転レベル4の車内には緊急停止ボタンの設置が想定されているため、乗客によって急に特定自動運行が終了され、特定自動運行主任者がその乗客対応に追われる可能性も考えられます。

乗客による緊急停止

- 国土交通省「限定地域での無人自動運転移動サービスにおいて旅客自動車運送事業者が安全性・利便性を確保するためのガイドライン（2019年6月）」p. 8

  「(7) 無人自動運転移動サービスに用いられる車両の安全性（追加要件)」「**車室内の乗員が容易に押せる位置に非常停止ボタンを設置すること**」。

- ドイツの道路交通法1e条2項8号

  「技術監督者あるいは**車両の乗客によりいつでも停止が可能**で、停止した場合には、車両を自ら最小リスク状態におく」。

したがって、とくに、一号方式（リモート監視）の特定自動運行主任者の注意義務違反があったかなかったの検討は非常に複雑です。よって、イレギュラーが多く、動揺しやすいのであれば、一号方式の特定自動運行主任者の注意義務違反が認められにくいと考えられます。

これに対して、二号方式（同乗するパターン）では、特定自動運行主任者が車両内にいるため、運用は特定自動運行実施者（＝バス会社等）次第ですが、乗っている特定自動運行主任者は、自車のモニタリングに集中できる分、（3台を監視するよりは負担が少ないので）客観的に特定自動運行主任者に期待可能な行為も多いです。また、二号方式の特定自動運行主任者には、救護義務や危険防止措置、警察官の指示に従う等の義務も加えて課さ

れるため、特定自動運行終了後および交通事故後の対応において注意義務違反が認められる可能性もあります。

　一方、先に改正したドイツの体制はどうでしょうか。

　ドイツ道路交通法1f条（自律走行機能を持つ自動車の運行関与者の義務）2項は以下のように規定します。

ドイツ道路交通法1f条2項　遠隔監視者の義務

　自律運転機能を有する車両の技術監督者には、下記が義務づけられている。

1号　車両システムから技術監督者に視覚、聴覚、またはその他の知覚可能な方法により通知され、車両システムにより提供されたデータによって技術監督者が状況を判断することができ、また、代替運転操作の実行が交通安全を危険にさらさないときには、直ちに、第1e条2項4号および3項にしたがって代替運転操作を評価し、同操作のために自動車をアンロックする。

2号　車両システムが視覚や聴覚、またはその他の認知可能な方法で（停止等についての）表示をしてきた場合には、速やかに自律運転機能を停止する。

3号　機能状態に関する技術装置からの信号を評価し、必要に応じて必要な交通安全対策を講じる。

4号　車両がリスク最小状態となったならば、速やかに車両の乗員との接触を図り、安全上必要な措置をとる。

　ドイツ道路交通法の1号義務（評価・アンロック義務）では、システムから代替運転操作（MRM後にどう行動するか）の評価を要求された技術監督者が、適切に状況を評価して、代替運転操作のため、MRM（リスク最小化）で止まっていた車両をアンロックする（＝代替運転操作を許可し、自動走行を作動させる）ことが必要となります。信号の不調により常時赤信号が灯火

されている信号機（＝町の人は壊れていることは知っているので、赤信号をあえて無視して進んでいる状況で）の赤信号に従わずに、進行を許可する場合や、システムが、事故車両を避けるために対向車線にはみ出すことを提案してくる場合等が想定されているそうです。この技術監督者の行為は、抽象的に適用される規則に違反するような運転操作（＝赤信号を無視する、対向車線にはみ出す）のための自動車の提案を、具体的な状況において（これらの状況ならOK！と人が判断して）承認する任務であるとされています。結構特殊な任務です。同じ遠隔監視者でも、日本とドイツではMRMそれ自体やその後にとる行動についての考え方が異なるようにも見えます。ドイツではすぐMRMにして、あとは遠隔の人に任せるというイメージで、日本はできる限りシステムが頑張って、困ったら最後の最後にMRMにして遠隔に判断を委ねるという印象です。日本のほうが無人である「レベル4」を実践できているように思えます。

　さらに、ドイツの4号義務（接触・必要措置義務）では、車両がリスク最小化状態（＝MRM発動）となったならば、遠隔監視者（技術監督者）が速やかに車両の乗員との接触を図り、安全上必要な措置をとることが義務づけられています。技術監督者が警察消防への非常通報を行い、他の交通参加者または安全任務を担う役所および組織に所属する者と連絡をとらなければなりません。また、乗員と遠隔監視者が連絡をとり、遠隔監視者が乗客に直ちに、いまなぜ止まったのか等の状況や、この後どのように行動すべきか、どんな行動が可能かを伝えるという趣旨です。

　このように、ドイツでは、遠隔監視者が、車内の人との対応や通報をする義務を負います。しかし、日本の改正法では、救護に関する義務等を現場措置業務実施者（＝助けにいく人）として外部警備会社に委託することが可能です。これに関して、警察庁の報告書では、「事故時の対応等については、一定の衝撃によって事故を判定する仕組みの開発や、現在実装されているような乗員が事故時にスイッチ一つで警察や消防等に連絡できるシステムを適切に使用することも考えられる」という意見もありました。

しかし、仮に自動運転車両にスイッチを設置すると、乗客が押せる「緊急停止ボタン」と「通報ボタン」の二つが車内にあることになります。そのため、乗客が2種類のボタンについて混乱する可能性や、そもそも事故時に乗客が重傷でありボタンが押せない状況もあり得ることから、車内の乗客側に通報に関する行為を過度に委ねるのは危険だと思います。

加えて、留意が必要なことは、（車内に同乗する二号方式の特定自動運行主任者がいる場合も含め）車内にいる者全員が怪我をして重傷で動けない場合です。一号方式の場合は、乗員全員重傷でも、遠隔監視の特定自動運行主任者の指示で、現場措置業務実施者が救助に来ます。

しかし、二号方式では、現場措置業務実施者たるのは乗車している特定自動運行主任者であるため、この者が負傷している以上、誰も救助に来ないことになるのです。

これを二号方式の欠陥としての「不利益」と捉えるか、あるいは、二号方式が（車内の者等が全員負傷した場合誰も救助に来ない点で）従来のヒューマンドライバーと同じレベルであり、一号方式のほうがレベル4の遠隔監視よって、従前よりも「厚い保護」がなされていると捉えるかは議論が必

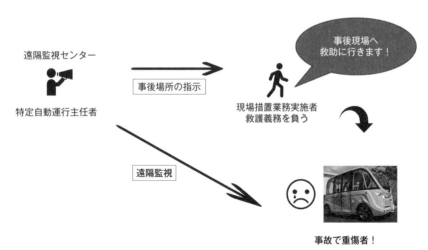

図 3-12　一号方式の場合

遠隔監視センター

二号方式では、現場措置業務実施者は乗車している特定
自動運行主任者であるため、この者が負傷している以上、
誰も救助に来ないことになる？

遠隔モニタリング
（義務なし）

事故で重傷者！
特定自動運行主任者も
怪我して動けず、救護
義務を負うが、果たせ
ない。

図 3-13　二号方式の場合

表 3-3　特定自動運行主任者とドイツの技術監督者の比較

	改正法・一号方式 特定自動運行主任者	改正法・二号方式 特定自動運行主任者	ドイツ 技術監督者
異常時の自動走行 終了義務	○	○	○
消防への通報義務	○	×	○
警察への通報義務	○	○	○
負傷者救護義務	× 現場措置業務実施者が対応	○ 特定自動運行主任者が自ら対応	×
危険防止義務	× 現場措置業務実施者が対応	○ 特定自動運行主任者が自ら対応	×
乗客接触 / 連絡義務	×	△ （救護・危険防止義務の一環）	○ 遠隔

※二号方式の場合には、救護と危険防止を主任者自ら行うこともあり、消防への通報義務が課されていないようです。

要です。これに関しては、ユーザーの自動運転に対する期待と社会的受容
性（くわしくは4章）と関係すると思われます。

　以上の義務の比較を表にすると表3−3になります。

　ちなみに、これらの分析から考えると、レベル4の事故時には、自動運
転レベル4の交通事故時の警察の捜査では、① EDR（イベント・データ・
レコーダー：事故前後の情報を自動で記録するもの）等のデータ記録の取得（デ
ータ用容量が大きいため、おそらく運行事業者である特定自動運行実施者側に移転

しているサーバー保存データも取得）、②特定自動運行主任者の配置が、一号方式か二号方式かを確認する、②各方式の義務がちゃんと果たされていたかを検討、③その際に公安委員会に提出されている計画書、特定自動運行実施者の社内資料、特定自動運行主任者が事前に受けた教育・訓練の内容、与えられた職務の内容、具体的に実際に従事していた職務内容がチェックされます。さらに、同業者・同等地域における特定自動運行主任者の一般的な職務内容を参考資料として調べて、「注意を怠り」に当たるかどうかの注意義務を検討することになるでしょう。

3.3.7　新たな主体？「自動運行従事者（仮）」とは

国土交通省は、2022 年末に、自動運転のサービスについて、以下の 2 つの考え方を示しました。

基本的な考え方（1）運転者が存在する場合と同等の輸送の安全等の確保

運転者が不在となる自動運転車を用いた自動車運送事業においても、非常時における対応等これまで運転者が担っていた運転操作以外の業務を確実に実施し、運転者が存在する場合と同等の輸送の安全等を確保することが必要である。

基本的な考え方（2）事業の形態によらない運送事業者の責任

運送事業者が、運行状態の監視業務や非常時の対応業務等を契約により外部の者に実施させることとする場合においても、運送事業者の責任の下、関係者の責務や役割分担を明確にした上で、従前と同等の輸送の安全等を確保することが必要である。

（出典：国土交通省・令和 4 年度第 3 回自動運転車を用いた自動車運送事業における輸送の安全確保等に関する検討会「自動運転車を用いた自動車運送事業における輸送の安全確保等に関する検討会　資料 2　報告書（案）」）

運送事業者をターゲットとし、輸送の安全確保の観点から、運送事業者

の従業員のうち、運転者が行っていた運転操作以外の業務を行う者を「自動運行従事者（仮）」として法令に位置付けるとのことです。もっとも、「自動運行従事者」の正式名称については、法令審査等を経て決定されます。上記検討会のとりまとめでは、仮称である「自動運行従事者」を用いますが、正式名称の検討にあたっては、「運行管理者の管理下において業務を行う者であること（貨物軽自動車運送事業者を除く。）」や「道路交通法の用語と区別すること」の観点を踏まえて検討するとのことです。

　この自動運行従事者は、運転免許が不要で、運行開始前の日常点検、点呼における報告、事故発生時の旅客対応、貨物の積載方法の確認、運行記録の作成などを担当します。

　自動運行従事者は、道路運送法／貨物自動車運送事業法の「運行管理者」、「整備管理者」のような位置付けで、道路交通法の「特定自動運行主任者」、「現場措置業務実施者」の業務とは重複しないと考えられていますが、今後の名称や義務化に注目が必要です。兼務できないのなら、（車内での業務が必要とされた場合に）車内には（二号方式の場合）、特定自動運行主任者と自動運行従事者の2人が同乗することになり、コストパフォーマンスが悪くなると思います。しかし、ただでさえ、二号方式の場合の特定自動運行主任者は、実質的に現場措置業務実施者の義務を兼ねていますから、そこに自動運行従事者の業務も足されると相当な負荷になると思います。したがって、これらの業務が遠隔で実施できるのか、また、兼務できるのかなどの法律上の建て付けに加えて、事業者側の人員配置も大事になってきます。

3.3.8　乗客の義務と刑事責任

　乗客については、道路交通法上の「運転者」としての主体を欠く以上、行為を行うことができないのですから、運転行為に関しては刑事責任の主体となり得ないはずです。しかし前述のとおり、レベル4において、ドイツ・日本ではともに、乗客が「緊急停止ボタン」を操作することが予定さ

れています。このボタンを押す行為は「運転」ではありません。したがって、道路交通法上の責任は生じなさそうです。しかし、緊急停止ボタンを押す行為自体が刑法の（場合によっては業務上）過失致死傷罪の「過失（＝注意を怠ったこと）」にあたる可能性があり、死傷結果とスイッチを押す行為との間に因果関係がある場合には刑事責任が問題となる可能性があります。

　例を挙げてみます。

設例2　高速道路を自動走行中のレベル4自動運転車内において、乗客Aが、車内マニュアルおよび乗車時に「緊急停止ボタンは、むやみに押さずに、緊急時にのみ使用してください」と説明を受け、理解していたにもかかわらず、周囲の状況を確認することもなく、ふざけてボタンを押した。緊急停止ボタンが押されたことにより、システムはリスク最小状態（MRM）になり、近くで停車できるよう速度を落とし、警告灯を作動させた。同車の後ろを走行していた人間ドライバーのBは、高速道路において急に減速を始めた前方の車（乗客Aが乗る自動運転車両）を避けるため、車線変更を行ったところ、後続車Cに追突され、傷害を負った。

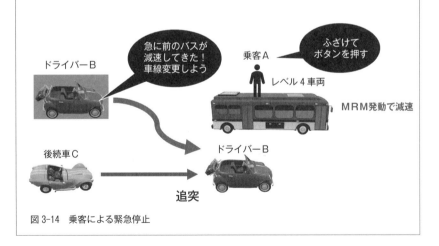

図3-14　乗客による緊急停止

本設例の乗客である A が、むやみに緊急停止ボタンを押すことで車の急制動や急減速等により死傷事故が発生し得ることを事前の説明等で十分に認識していたのであれば、A には（このような事故の）結果の予見可能性が認められます。また、（高速道路で、そのタイミングで）緊急停止ボタンを押す必要性もなかったのですから、ボタンを押さないことにより結果を回避することが可能であったといえます。つまり、結果回避可能性も認められます。予見可能性と結果回避可能性が二つそろったので、A には注意義務違反が認められ、過失傷害罪が成立する可能性があります。

　よって、本設例によれば、自動運転レベル 4 で「運転者」が車内にいなかったとしても、「乗客」の刑事責任が問われる場合があるといえます。

　実証実験の深化や遠隔監視の体制作りは着実に進んでいくため、業界の動向を注視しつつ、自動運転レベル 4 の交通事故に関するモデルケースを常に想定する必要があります。

3.4 自動運転に関するデータ
――何をどれだけ記録すれば許されるのか

3.4.1 日本におけるデータの取り扱い

　裁判では、自動運転車の衝突の原因や自動運転システム・ドライバーの状況の特定、システムの状態・異常の発生に関連するデータを用いて、事故原因がどこにあるか（車の故障なのか、アプリの不具合なのか、運転手のミスなのか）が明らかにされます。この意味では、メーカーにとって自身および顧客を裁判において守るためにも、いかなるデータをどのように記録すべきかは重要な問題です。

　たとえば、ドライバーが事故時に、「ブレーキを踏んだけれど効かなかった」と主張してきたら、メーカーとしては、「ブレーキを踏んでいなかったデータ」を示す必要があるということです。記録するデータの種類・量によっては、メーカーは、事故時の消失を避けるために高温に耐えうるような構造の装置を配備したり、また、（破損しても予備が残るよう）記録装置を2カ所に分けて設置したりと、さまざまな対策およびコストを強いられることになります。

　データの量は莫大で、保存場所をつくるのにもコストがかかるため、裁判等でどんなデータが必要になるか、どれだけの期間保存するか等は、行政側が車両製造に先んじてあらかじめ規定すべきです。このことが産業発展を促すことにつながると考えられるのです。もっとも、データに個人情報が含まれる場合には、メーカーは、個人情報保護法等、車の所有者の権利に配慮しなければならないため、顧客との間でも、データの取り扱いは極めて重要な問題でしょう。

　具体的には、自動運転に関する交通事故調査では、一般的な事故発生状況（道路環境、車両損壊状況、衝突速度、乗員保護装置の作動状況、加害部位等）に加え、ドライブレコーダーを含めた車載記録情報等のデータに

基づくだけでなく、EDR（イベント・データ・レコーダー）、およびDSSAD（データ記録装置）等が捜査において必要になってきます。

データ記録装置の説明

EDR（Event Data Recorder） ＝衝撃を受けた際にその前後の状況を記録するシステムで、車速、エンジン回転数、アクセル・ブレーキの踏み具合、タイヤロック防止システム（ABS）・横滑り防止プログラム（ESP）の作動状況、ブレーキオイル圧力、加速度、シートベルトの着用の有無、ハンドルの角度等が記録される。

DSSAD（Data Storage System for Automated Driving） ＝自動運転システムの情報記録装置。システムの作動・非作動や運転引継等、自動運転システムの作動状態が記録される。

これに関して、国土交通省のガイドラインによれば、「(5)データ記録装置の搭載」において、「自動運転システムの作動状況や運転者の状況等をデータとして記録する装置を備えることが必要である」とされており、「なお、今後、データ記録装置の具体的な要件（データとして記録する事項、記録時間、保持期間等の要件や、データの使用目的及び個人情報の取り扱い等）や搭載義務化について検討されることとなっており、これを踏まえ、具体的なデータ記録装置の要件について決定する」との方向性が示されています。

言い換えると、「自動運転で何のデータをどれだけ保存するかは後日指示します」ということです。また、同ガイドライン脚注の12では、「記録するデータとしては、自動運転システムの作動状況や運転者の状況のほか、周囲の状況、自動車の制御情報等が想定されますが、記録すべきデータについては、国連や事故責任のあり方の動向も踏まえつつ今後検討を行う」とも説明されています。つまり、「記録されるべきデータは、国連の動きにしたがって決める予定です」ということです。

これに加えて、国土交通省は、「映像記録型ドライブレコーダーやEDR

等の車載記録装置、…（中略）…等の利用可能性が高まっている。今後とも、個人情報等に最大限配慮しつつ、交通安全に関係する行政機関、自動車メーカー、民間企業や研究機関において、車両安全に関するデータが相互に利活用できるよう、環境整備を促進することも重要である」とし、「あおり運転等の抑止効果や事故分析を通じた車両安全対策への活用等のメリットを踏まえ、普及拡大を図る必要がある」と説明しています。なぜなら、映像データやシステムの作動記録データは、（あおり運転や事故時の裁判での）主張の裏付けになるからです。

そして、国連欧州経済委員会に設けられた、世界的な車両規格統一を実施する自動車基準調和世界フォーラム（WP 29）において、2021年3月に事故時のデータ記録装置の標準化に関する協定（UN‒R 160）が締結されました。

これに引き続き、2021年6月28日に開かれた国土交通省自動車局の交通政策審議会陸上交通分科会自動車部会において「今後5年間の対策の方向性（ポイント）」がとりまとめられ、UN‒R 160の内容を受けたEDR装着に関する保安基準の改正（＝車にはデータ記録装置を必ずつけましょう）が、2021年9月30日に国土交通省により行われました。EDR装着義務化の適用時期は、新型車は2022年7月から、継続生産車は2026年5月からです。

今後はEDRが、事故の捜査や保険の金額等を変えていくと思います。事故時に、いくら「ブレーキを踏んだ」という主観的な主張をしても、客観的なEDRによって、本当にブレーキを踏んだかが明らかになるのです。事故の際に、片方の車にEDRが搭載されている場合には、EDRをもっているほうは有利になります。これは、ドライブレコーダーも同じです。

搭載車の運転手が、客観的な事実（EDRに基づく）を確認したあとに（警察にも同時に確認される可能性もありますが）、事実に基づいた適切な主張を、（EDRという客観的な）根拠をもって行うこともできるし、自分の記憶とEDRが矛盾し、不都合な事実がEDRに記録されている場合に、EDRを使わずに秘して交渉を進めることもできてしまいます。

したがって、EDR を搭載している側のほうが相対的に可能な主張の種類・手段が多く、その意味で EDR 非搭載車より有利に「ことを進める」ことも可能であると思われます。この EDR に関しては、その読み取り装置（CDR：Crash Data Retrieval といいます）をドイツのボッシュ（BOSCH）にほぼ頼っている状況です。データの世界にもルール形成戦略が必要になってきたと感じています。

3.4.2　ドイツにおけるデータの取り扱い

　一方、レベル 4 について先に道路交通法を改正したドイツもデータに関する保護は手厚いです。刑法にまで「データ探知の罪」が規定されているほどです（日本の刑法にはありません）。自動車のデータに関して、ドイツ自動車産業連盟は、既に 2016 年の立場意見書で、自動車の安全性、運転の安全性およびデータプライバシーを三つのリスクとしてあげています。同書ではまず、メーカーが生成したデータの安全な移送を確保する責任をもつとされ、「第三者はメーカーの B to B インターフェース又は中立的なサーバーを介してメーカーのサーバーからデータにアクセスできる」としつつ、「B to B メーカーインターフェースのアクセスは B to B の契約に基づくものである」とし、契約による合意に基づくデータへのアクセスを基本とすることを明言しています。さらに、データ利用のカテゴリーの考え方を天候や道路状況等の公共データから個人情報まで 5 つの段階に分けて示したうえで、異なる保護が必要であるとしています。2021 年 2 月にも、ドイツ自動車産業連盟は、旧連邦デジタルインフラストラクチャー省の進めるデータ政策への賛同と、個人情報に配慮したモビリティ・データベースのあり方を提案しています。

　さらに、ドイツの改正道路交通法に規定されたデータの取り扱いをみてみましょう。

| 新設1g条 | 保存すべきデータの内容 |

1項　自律走行機能を持つ自動車の保有者は、自動車を運転する際に以下のデータを記録することが義務づけられる。

1. 車両識別番号

2. 位置データ

3. 自律走行機能の有効化と無効化の回数および時間

4. 代替運転操作（MRM後の再起動等）の引き渡し回数と時間

5. ソフトウェア状態のデータを含むシステム監視データ

6. 環境および気象条件

7. 伝送遅延や利用可能な帯域幅等のネットワークパラメータ

8. 有効化および無効化されたパッシブおよびアクティブなセーフティシステムの名称、これらのセキュリティシステムの状態に関するデータ、およびセーフティシステムを作動させた部門

9. 縦および横方向の車両加速度

10. 速度

11. 灯火装置の状態

12. 電源電圧

13. 外部から車両に送信された指示と情報

　これだけ網羅的に保存すべきデータを法律で列挙してくれていると、メーカーにとっては非常に助かりますね。

| 新設1g条 | データ保存の目的とメーカーの義務 |

1項（続き）　保有者は、連邦自動車庁、連邦法または州法に基づく管轄当局に対し、または連邦政府が管理責任を負う連邦長距離道路上では、インフラ会社設立法にいう私法による設立会社[※1]に対し、要求に基づき、以下の必要な範囲で本条第1文に基づくデータを提供する

義務を負う。

1．連邦自動車庁が4項及び5項に基づく職務の遂行のため ※2

2．連邦自動車庁、連邦法または州法に基づく管轄当局、または連邦政府が管理責任を負う連邦長距離道路上では、インフラ会社設立法にいう私法による設立会社が第6項に基づく職務の遂行のため ※3

2項　第1項のデータは、以下（を把握する ※4）目的のために記録されなければならない

1．技術監督者の介入

2．衝突のシナリオデータ、とりわけ事故や事故寸前のシナリオデータ

3．予定外の車線変更や回避行動

4．運行中の障害の発生

3項　自律走行機能を有する自動車の製造者は、第1項および第2項で言及されたデータの記録が保有者にとって実際に可能であるように、自動車を装備しなければならない。製造者は、プライバシー領域の調整と、車両の運転中に自律走行機能において処理されるデータの処理について、保有者に正確に、明確に、わかりやすい言葉で通知しなければならない。車両の関連ソフトウェアは、自律走行機能において処理されたデータの記録・送信方法に関するオプションを予め予定し、保有者が適切な設定を行えるようにしなければならない。

※1　インフラ会社設立法の会社は、たとえば、ドイツの高速道路アウトバーンを管理する会社の、連邦政府100％出資会社 Die Autobahn GmbH des Bundes 等である。
※2　情報の取得や公益目的でのデータ活用のため
※3　車両の管理のため
※4　筆者特記

データ保存の目的の一つ目は、「技術監督者の介入」、つまり、「遠隔監視者の介入」ということです。無人運転である以上、たしかにこれが一番記録されなくてはなりません。

| 新設1g条 | データの使い道（その1） |

4項　連邦自動車庁は、自律走行機能付き自動車の安全な運行を監視

するために必要な範囲で、保有者から以下のデータを収集、記録、使用する権利を有する。

1. 第1項によるデータ、および

2. 技術監督者として任命された人物の姓名、およびその者の専門的資格の証明。

保有者が、保有者側で連邦データ保護法第26条 により、従業員を技術監督者として使用する場合は、連邦データ保護法第26条が適用される。連邦自動車庁は、第1文に定める目的のためにデータが必要でなくなった時点で直ちに、また、遅くとも該当する車両の運行停止から3年が経過した後に、遅滞なくデータを削除しなければならない。

5項 車両が第1k条 にいう車両ではない限りで、連邦自動車庁は、第1項と併せて第4項1号にしたがって保有者から収集した個人に関連しないデータを、交通関連の公益目的、とくにデジタル化、自動化、ネットワーク化の分野における科学的研究の目的、および交通事故研究の目的のために、以下の団体に対しアクセスを可能にする権利を有する。

1. 専門大学および大学

2. 大学以外の研究機関

3. 研究、開発、交通計画、都市計画を担当する連邦政府、州政府、地方自治体。

第1文に記載された機関は、第1文に記載された目的のためにのみデータを使用することができる。4項第2文も、同様に適用される。一般的な送信の規定は影響を受けないものとする。

　なんと、研究目的であれば、大学や研究機関や自治体がこれらのデータにアクセスして利用できると書かれています。

　日本では、（このような法律がなければ）各メーカーが保有して自社のためだけに保存して使いそうです。個人情報が明らかにならないのであれば、

膨大な自動運転に関するビッグデータを各機関がそれぞれ分析したほうが、将来の安全対策のために有益だと思われます。日本がこのような制度設計をするかは甚だ疑問です。4章で触れますが、社会全体で取り組むべき自動運転については、広く情報公開をし、学際的に各分野からデータを解析すべきですし、その姿勢が、社会的受容性を育むという気がします。

新設1g条 データの使い道（その2）

6項　連邦法または州法に基づいて特定の運行領域の認可を管轄する当局、または連邦幹線道路では連邦政府が管理責任を負う限りにおいて、インフラ会社設立法にいう私法による設立会社は、特定の運行領域が自律走行機能を備えた車両の運行に適しているかどうか、とくに各認可の要件が満たされているかどうか、それに関連する命令が遵守されているかどうかを確認・監視するために必要な限りにおいて、保有者から以下のデータを収集・記録・使用する権利を有する。

1. 第1項によるデータ、および

2. 技術監督者として任命された人物の姓名、およびその者の専門的資格の証明。

　連邦法または州法に基づく特定の運行領域の認可を担当する当局、または連邦政府が管理責任を負う連邦幹線道路においては、インフラ会社設立法にいう私法による設立会社は、第1文に定める目的のためにデータが必要でなくなった時点で直ちに、また、遅くとも該当する車両の運行停止から3年が経過した後に、遅滞なくデータを削除しなければならない。

7項　第1項から第6項にかかわらず、第三者は、第7条1項が規定する事件に関連する法的な権利請求の主張、弁済または防御のために、第1項および第2項にしたがって保存されたデータが必要であり、自律走行機能を有する当該車両が当該事件に関与している限りにおいて、同データに関する情報を保有者に要求することができる。第三者は、

法的な権利主張のためにデータを必要としなくなった時点で直ちに、また、遅くとも、データが収集された主張、弁済、または防御のための請求が時効になった時点で、データを削除しなければならない。第三者による本データの使用は、第1文に記載された目的のためにのみ許容される。

　ドイツのこの1g条は、日本の道路交通法と比較し、データの観点から見てもかなりの異同があります。すなわち、自動車の保有者に対し、データの保存義務だけでなく、提供義務を課し（1g1項）、その裏返しとして当局がデータを収集・記録・使用する権利を有する（1g4項、6項）としています。また、（中立的な学術機関に検討してもらうためだと思いますが）当局が研究目的でデータを大学等に提供できることも定めています（1g5項）。第三者が賠償請求を行うときに、第三者は自動車の保有者にデータの開示を請求する権利も有します（1g7項）。このように、ドイツ道路交通法は、データの重要性を前提に、そのデータの利用方法についても道路交通法のなかで明記し、円滑なデータの利用を促進させようとしているのであり、今後の日本の運用においても参考になります。

　たとえば、トヨタの説明書では以下のように記載されています。

COROLLA AXIO（ハイブリッド）説明書（M12 J18）2015年第2版8頁
EDRは次のようなデータを記録します。
- 車両の各システムの作動状況
- アクセルペダルおよびブレーキペダルの操作状況
- 車速

これらのデータは、衝突や傷害が発生した状況を把握するのに役立ちます。
注意：EDRは衝突が発生したときにデータを記録します。通常走行時にはデータは記録されません。また、個人情報（例：氏名・性別・年

齢・衝突場所）は記録されません。ただし、事故調査の際に法執行機関等の第三者が、通常の手続きとして収集した個人を特定できる種類のデータと EDR データを組み合わせて使用することがあります。

　◆ EDR データの情報開示

次の場合をのぞき、トヨタは EDR で記録されたデータを第三者へ開示することはありません。

- お車の使用者の同意（リース車は貸主の同意）がある場合
- 警察・裁判所・政府機関等の法的強制力のある要請に基づく場合
- トヨタが訴訟で使用する場合　ただし、トヨタはデータを車両安全性能の研究に使用することがあります。
- 使用者・車両が特定されないデータを調査目的で第三者に開示することがあります。

　車の使用者に対して、EDR の存在およびそのデータの取り扱いを明示しているのです。メーカーがこのような丁寧な説明を行うことは個人情報保護および事故発生時の証拠保全のためには有益です。しかし、前述のとおり、（ドイツのような）行政側の指定がないなかでは、いかなるデータをどれだけ記録すべきかという問題に、日本では個々のメーカーがそれぞれ立ち向かわなくてはならず、しかし、大事なデータや技術に関する問題であるため、メーカー同士で情報提供しあったり、擦り合わせたりすることも躊躇してしまう現状があるのが問題です。

　これに対して、ドイツでは、各製造者が、前述のトヨタ車のように、仕様説明書にデータに関する注意規定・説明を記載しますが、そもそもデータの開示・使用目的が道路交通法に規定されていますから、この点に関する民事紛争等はおおむね発生しません。加えて、事故被害者からの証拠としてのデータ請求も道路交通法に規定されており、研究利用目的と併せて、今後の個人情報保護に関する紛争・法的問題を回避できると思われる点は、日本にとって非常に示唆に富むものでしょう。

3.5 民事責任と保険
――技術と法律が自動車保険とどう関わるか

　次は、民事責任と保険についての話です。そもそも、民事的な話では、自動車を運転する者（人間）の不法行為責任（民法709条：故意または過失によって、他人の権利や法律上保護される利益を違法に侵害したときの損害賠償責任）や、その者が被用者であれば、その使用者の使用者責任（民法715条：従業員の不法行為により生じた第三者に対する損害について、会社も損害賠償する）の問題も生じます。しかし、「運転」を人が行わない自動運転では、これらの責任追及が難しくなってきます。ここで自動車損害賠償保障法が登場します。自動車損害賠償保障法（自賠法）には、事故で人を怪我させた場合の人身損害については、三条の**運行供用者責任**等があります。

自動車損害賠償保障法三条
　自己のために自動車を運行の用に供する者は、その運行によって他人の生命又は身体を害したときは、これによって生じた損害を賠償する責に任ずる。

　ただし、自己及び運転者が自動車の運行に関し注意を怠らなかったこと、被害者又は運転者以外の第三者に故意又は過失があったこと並びに自動車に構造上の欠陥又は機能の障害がなかったことを証明したときは、この限りでない。

※「自己のために自動車を運行の用に供する者」のことを「運行供用者」といいます。車の所有者や、従業員に車を貸している会社等が運行供用者にあたります。

　自賠法は、車両の安全性と賠償資力の確保を連結させて自動車運送の健全性と被害者保護の両立を志向する制度です。自動車事故によって自賠責保険の被保険者（普通は車の持ち主）が損害賠償責任（運行供用者責任）を負いますが、（注意を怠っていない等の事実があって）自賠責の被保険者に運行

表 3-4　事故時の保険

	物損事故	人身事故
被害者向け	任意保険	（強制）自賠責保険 死亡 3000 万円 後遺障害 4000 万円 障害 120 万円 ＋任意保険
自分向け	任意保険	任意保険

供用者責任を問えない場合、自賠責保険を用いた被害者救済ができないことになります。そうだとすると、任意保険が重要になってきますね。

　レベル4の自動運転でも、「運行の用に供する者」はいるため、レベル4の自動運転交通事故の場合に、車内や遠隔に運転者がいなくても、自賠法の適用があり得ます。国土交通省の「自動運転における損害賠償責任に関する研究会」報告書（2018年3月）でも、「自動運転レベル3からレベル4に該当する自動運転システムを利用中の事故については、従来の運行供用者責任を維持しつつ、保険会社等による自動車メーカー等に対する求償権行使の実効性確保のための仕組みを検討することが適当である」とされています。つまり、「現状の供用者責任をキープしつつ、保険会社の動きでなんとかしましょう」ということです。2020 ～ 2025 年前後の過渡期における、自賠法上の自動運転における損害賠償責任は現行のまま（＝運行供用者責任を維持）ということです。

　ただ、たとえば、自動運転のシステムに欠陥があり、事故が発生した場合はどうでしょうか。

①運行供用者責任で所有者がお金を支払う
②実際には所有者が加入している任意保険で保険会社がお金を支払う
③保険会社が、欠陥のシステムを開発したメーカーにその（立て替えた）金額を請求する（＝求償）

という流れが考えられます。そのため、上で見た EDR 等のデータや事故時の状況の再現等、金額を決めるための前提となる事故状況を明らかにするため、メーカーと保険会社で情報共有ができる仕組みが重要になってきます。

　ちなみに、メーカーには**製造物責任法**（PL 法）の適用もあり得ます。ソフトウェアのメーカーも、これが自動車車両全体あるいは部品の「欠陥」と認められるならば、「製造物」（PL 法 2 条 1 項）として無過失責任を負う可能性があります。この「欠陥」が一番難しいでしょう。自動運転車は、**「有能で注意深い人間ドライバー**（C & C ドライバー：Competent and Careful Human Driver）**よりも安全である」** 必要があるとされています。ここで、2016 年 5 月 7 日のテスラ車の事故を紹介します。

　テスラのモデル S が自動運転モード（ただしレベル 2 の運転支援）で走行中、白い大型トレーラーがモデル S の前方を横切り、そのトレーラーにそのままテスラ車が突っ込み、ドライバーが死亡してしまった事故です。テスラによると、日差しが強かったために、システムが白い色のトレーラーを認識できず、ブレーキが作動しないまま、トレーラーの下に潜り込む形で衝突したとのことです。テスラは「トレーラーの白色の側面が、明るい空を背景としていたから」、テスラ社のシステム（＝オートパイロット）もトレーラーを認識することができず、ブレーキを作動させなかったと報告しました（もっとも、ドライバーが気づかなかったことも問題ですが、ここでは、システムの機能としてこの事件を取り上げます）。

　人が防げないような事故もセンサーと操舵能力によってシステムが回避してくれる反面、このテスラ車の事故のような、トレーラーを白い背景だと思ってしまうような（人間ならトレーラーだって一発でわかりますよね）「人間だとありえないようなミス」をすることがあります。このようなシステムは、人間よりも事故を起こさないともいえますし、人間では起こせないような謎の事故を起こす可能性もあります。これが「欠陥」といえるかが問題です。

国土交通省は、安全技術ガイドラインにおいて、「**合理的に予見される防止可能な事故が生じないこと**」を自動運転の車両安全の定義としています。これに反する製造物（合理的に予見可能な事故を防げないレベルの自動運転車両）であれば（そもそもそれは保安基準に反したことになるので道路運送車両法違反ですが）、欠陥として PL 法の責任をメーカーが負う可能性があるのです。ただ、システムの AI の判断過程がブラックボックス化していると、なぜこのような操舵をしたか、なぜ制動しなかったかの理由がわからず、そもそも事故原因が特定できなくて、「欠陥」の証明に至らないケースがあり得ます。ですから、やはり、判断の過程をデータで残すことが重要でしょう。

　また、このような現状に対して、被保険者に法律上の損害賠償責任が課されない状況（欠陥やサイバーハッキング等も起こりうる）において、被保険者が被害者に対する補償を提供するための費用を補償（迅速な被害者救済）するものもあります（「被害者救済費用等補償特約」：東京海上日動[※1]）。

　さらに、たとえば、損保ジャパンが2022年2月に発表したレベル4自動運転サービス向け「自動運転システム提供者専用保険」では、自動運転レベル4以上に対応した保険、自動運転システム提供者が被保険者となる契約方式もあるといいます。サブスクリプション型で自動運転サービスを導入する際に、自動運転システム提供者（＝メーカー等）のサービスの一つとして提供され、自動運転を導入する事業者（＝バス会社等）は、自分たちで保険を手配する必要がありません。万が一の事故が発生した際に保険による補償を受けることができます。

　「自動運転システム提供者専用保険」は、ヤマハ発動機株式会社とティアフォーの合弁会社「株式会社イヴオートノミー（eve autonomy）」の自動搬送サービス「イヴオート（eve auto）」に適用し、保険・サービスの検証が実施され、今後、多方面への展開を目指すとのことです[※2]。

　加えて、あいおいニッセイ同和損害でも、「自動運転モード」で走行中の運転分保険料の無料化（距離と運転特性に関わらず）等、レベル3を見据

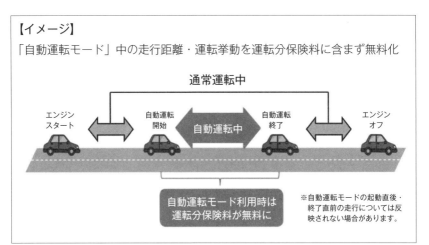

【イメージ】

「自動運転モード」中の走行距離・運転挙動を運転分保険料に含まず無料化

通常運転中

エンジン
スタート
自動運転
開始
自動運転中
自動運転
終了
エンジン
オフ

自動運転モード利用時は
運転分保険料が無料に

※自動運転モードの起動直後・
終了直前の走行については反
映されない場合があります。

図 3-15　自動運転システム提供者専用保険

えて、自動運転中の安全性を評価して安くしてくれている保険も登場して
います。同社は、2021 年 3 月には、福井県永平寺町のレベル 3 遠隔型無人
自動運転移動サービスにおいて、リスクアセスメントを行うとともに走行
環境や運行形態等のリスク実態を考慮した自動車保険を提供することも発
表しています[3]。

　このように保険業界では、自動運転の社会実装を見据えた動きが活発化
しています。どのような事故があり得るのか、そして、費用負担はどうす
るのか等、実証実験の結果を見ながら常に改訂していくものと思われます。

3 章の注

[1] https://www.tokiomarine-nichido.co.jp/company/release/pdf/201111 01.pdf

[2] https://www.sompo-japan.co.jp/news/2022/20220204 1.pdf

[3] https://www.aioinissaydowa.co.jp/corporate/about/news/pdf/2020/news 2020073000716.
　pdf

3 章の参考文献

• 今井猛嘉「自動車の自動運転と運転及び運転者の概念」研修 822 号（2016 年）6 頁以下
• 今井猛嘉「自動車の自動運転と刑事責任」交通法研究 46 号（2018 年）9 頁以下
• Schrader, *"Haftungsrechtlicher Begriff des Fahrzeugf hrers bei zunehmender Automatisierung*

von Kraftfahrzeugen", NJW Heft49, S. 3541ff
- 中川由賀「自動運転車に関する刑事実務的問題点」罪と罰第 56 巻 2 号（2019 年）pp.47-60
- König, *"Die gesetzlichen Neuregelungen zum automatisierten Fahren"*, NZV 2017, S. 123
- Grunwald, *"Autonomes Fahren: Technikfolgen, Ethik und Risiken"*, SVR 2019, S. 81
- https://fleetworld.co.uk/education-on-autonomous-vehicles-will-ensure-we-remain-in-right-lane-says-iam/
- 2016 年 6 月 日本損害保険協会ニューリスク検討 PT「自動運転の法的課題について」http://www.sonpo.or.jp/news/file/jidou gaiyou.pdf
- 内閣官房 IT 総合戦略室「官民 ITS 構想・ロードマップこれまでの取組と今後の ITS 構想の基本的あり方」（2021 年 6 月 15 日）31 頁
- 自動走行ビジネス検討会「自動走行の実現及び普及に向けた取組報告と方針 Version5.0」（2021 年 4 月 30 日）
- 警察庁・令和 3 年度自動運転の実現に向けた調査検討委員会・第 2 回（2021 年 7 月 7 日）配付資料 2「永平寺町自動運転「ZEN drive」について」
- 樋笠堯士「自動運転レベル 4 における刑事実務」捜査研究 858 号（2022 年）pp.25-40
- 樋笠堯士「自動運転レベル 4 における関与者の義務と責任およびデータ記録──ドイツの改正道路交通法を手がかりに──」経営情報研究 26 号（2022 年）pp.49-68
- 樋笠堯士「自動運転（レベル 2 及び 3）をめぐる刑事実務上の争点──レベル 2 東名事故を手がかりに──」捜査研究 847 号（2021 年）pp.46-62
- KBA, *Genehmigung zum automatisierten Fahren*, Pressemitteilung Nr. 49/2021
- 国土交通省「自動運転における損害賠償責任に関する研究会」報告書（2018 年 3 月）https://www.mlit.go.jp/common/001226452.pdf
- 交通安全環境研究所・令和 4 年度講演会資料

4章

自動運転レベル4が
社会に受け入れられるために
必要なこと

4.1 安全性に対する市民の目
──一般市民と専門家の溝

　「社会的受容性」、あるいは、「受容性」といった言葉をご存じでしょうか。最初に航空機がスタートした時、墜落や事故が怖くて乗らなかった人が多かったと聞きます。ですが、今は皆、当然のように乗りますよね。これは、車、電車、飛行機、エレベーター、エスカレーター等の身近な移動に関する機械が通ってきた道です。得体の知れない技術は、最初は怖いものです。しかし、いつの間にか、エレベーターやエスカレーターを「安全ではないから」「怖いから乗らない」という人はほとんどいなくなりました。

　今、自動運転はそのスタートラインに立とうとしています。

　「社会受容」は、Social acceptance と言われ、実際に社会で使われているものをいいます（＝事実として受け入れられていること）。そして、「社会受容可能性（あるいは社会的受容性）」は、Social acceptability と言われ、社会で使うことが妥当であるか（法・倫理・経済・慣習・設備体制等の観点から）の条件やその可能性を指します。さらに、受容性という言葉は、筑波大学の谷口綾子教授によれば、「環境・経済面の費用対効果、人々の賛否意識、期待や不安等さまざまな要素から浮かび上がる、時々刻々と変化し得る集団意識」のことをいうそうです。

　ここでは、用語を「社会的受容性」に統一して、「法・倫理・環境・経済の視点を踏まえて、社会の人々に受け入れられていること」という意味で使うことにします。エレベーター、エスカレーター、電車、車、飛行機は、社会的受容性があります。そして、自動運転、とくに、レベル４以降の無人の自動運転車については、まさに「社会的受容性」が多くない状況だと思います。

　内閣府は、受容性戦略として「一般市民向けの自動運転に関する正しい

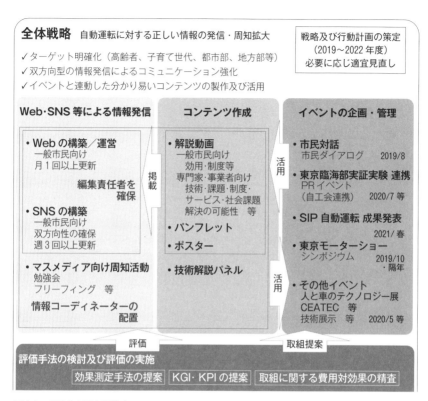

図 4-1　内閣府の受容性戦略 (出典：内閣府 2019 年 12 月 4 日資料 8 - 2 - 5)

情報の継続的な発信」や「双方向型情報発信によるコミュニケーション強化」を掲げています。

　社会的受容性を醸成するために、自動運転に関する正しい情報を発信していこう、という戦略です。

　では、実際の人々の意識はどうでしょうか。

　第一生命経済研究所ライフデザイン研究部部長兼主席研究員の宮木由貴子氏の講演「消費者意識調査からみるモビリティ実態と自動運転の可能性」(2020 年度経済産業省社会受容性シンポジウム、資料スライド 17) によると、約 2 万名が産業技術総合研究所の自動運転実証実験 VTR を閲覧したうえでアンケートに回答していますが、自動運転のサービスカー（=バスやタ

クシー等）に対する期待として以下のような結果が出ています。

- 「生活が便利になる」（53.4％）
- 「ドライバーの負担が軽くなる」（47.8％）
- 「高齢者や障がい者等、移動弱者の交通手段が増える」（46.7％）
- 「交通事故が減る」（36.8％）
- 「ドライバー不足が解消される」（36.0％）

このようにさまざまな期待が寄せられています。

　ただ、「タイプ別自動運転総合受容度得点」によると、「自動運転の実用化においては、「自動運転の理解」や「新しいルール・方法の学習」等、さまざまな変化に対応する必要があります。あなたは1人の消費者として、以下のような自動運転車の実用化における変化について、どの程度受け入れられますか。10点満点で考えたとき、どの程度かお答えください」に対して、受容度得点：サービスカー（バス・タクシー）の平均は、6.97（2020および2021）であり、〔町、村〕＝6.74、〔人口10万未満都市〕＝6.92とあり、人口10万人以上のデータでは、一番低くても（平均の6.97を超える）6.99です。

　したがって、過疎地・人口が少ない都市ではサービスカーへの高い「**需要**」があるにも関わらず、社会的「**受容**」性の点数が低いことがわかります。

　加えて、「自動運転に対する不安の具体的な内容」について、約8割の方が、「車が安全に作動するかどうか（自動車への信頼性）」を不安視しており、約半数は「事故が起きた際の責任問題やトラブル対処・保障（法律・ルール・保険）」を不安視しています。本書の2、3章で見てきたようなことが「わからない」ため、期待はあるのに、不安もかなり多くあるという現状です。

　逆に本書の2章や3章について詳しい専門家たちはどのように考えているのでしょうか。一般市民の考え方と専門家の考え方を比較したアンケー

ト分析をしている研究を紹介しながら考えてみます。

　次の図は、筑波大学の公共心理研究室（谷口綾子教授）が、2021年の7

	専門家調査（アンケート済）	一般市民調査（アンケート済）
対象者・サンプル数	**自動運転倫理ガイドライン研究会シンポジウム参加者360名** 分析対象者は、普段から運転する**329名**	首都圏在住者（茨城県、栃木県、群馬県、埼玉県、千葉県、東京都、神奈川県）の425名 分析対象者は、普段から運転すると回答した**287名**
調査時期	2022年6月10日〜22日	2021年7月2日〜9日
調査主体	多摩大学樋笠尭士先生、筑波大学公共心理研究室	筑波大学公共心理研究室
方法	Webアンケート調査	

図 4-2　専門家と一般市民の考え方の比較 <small>（出典：飯塚友也・岩田剛弥・溝口哲平・谷口綾子「自動運転車の『事故回避を企図した交通ルール違反』に対する一般市民と専門家の評価」『第66回土木計画学研究・講演集』（CD-ROM）、2022）</small>

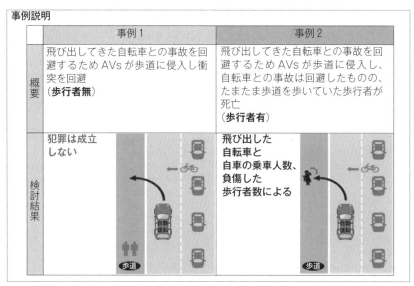

事例説明

	事例1	事例2
概要	飛び出してきた自転車との事故を回避するためAVsが歩道に侵入し衝突を回避 **（歩行者無）**	飛び出してきた自転車との事故を回避するためAVsが歩道に侵入し、自転車との事故は回避したものの、たまたま歩道を歩いていた歩行者が死亡 **（歩行者有）**
検討結果	犯罪は成立しない	飛び出した自転車と自車の乗車人数、負傷した歩行者数による

図 4-3　結果：「AVs（自動運転車両）の交通ルール違反」を許容するか　①；「事例1・2説明」
<small>（出典：図4-2と同じ）</small>

月に一般市民調査（n = 287）を、2022 年 6 月に専門家調査（n = 329）を行った比較検討の研究です。

　図 4-3 の事例 1 も 2 も、（自転車を避けるためとはいえ）車両が歩道に侵入することにより、道路交通法に違反しています。つまり、自動運転車両（= AVs）が道路交通法に違反することを認めて、このようなプログラミングをすべきかどうか、というアンケート分析です。事例 1 では、誰も被害が出ず、事例 2 では、歩行者を死亡させてしまっています。果たして、この二つの事例を比較したうえで、世の中の人は、自動運転車両にどのような挙動を求めるのでしょうか。

　事例 1 では、一般市民の約半分が、歩道への侵入を「許される」とした一方で、専門家は 8 割が「許される」としました。一般市民と専門家の差は 3 割です。専門家のほうが緩く感じますね。

　事例 2 について、許されると回答した一般市民は 15 ％で、専門家の 13 ％とほぼ差がありません。つまり、同じ「歩道への侵入」事例でも、人が

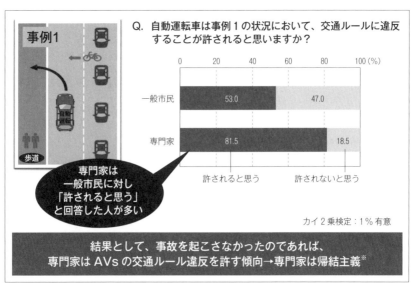

※ある行為から生じた結果を考慮して、行為の善し悪しを判断する立場

図 4-4　結果：「AVs の交通ルール違反」を許容するか　②：事例 1（出典：図 4-2 と同じ）

死傷した場合には、一般市民であろうと専門家であろうと多くの人が「許されない」と考えていることがわかります。「歩道の人を巻き込んで死傷させるような行動はいけない」というのは共通認識であるようです。

では、結局のところ、一般市民と専門家でズレがあるのは、事例1の「（歩道の人を巻き込まずに）歩道に侵入することが許されるか」です。おそらく、歩道という交通弱者が保護される聖域のような場所に車両が入ることについて、「入ってくること自体が危険」と考えるか、「人さえいなければ、安全性を保って歩道に侵入できる」と考えるかの違いが、アンケート結果に表れているように思います。

安全性について、一般市民と専門家ではどのような違いがあるのでしょうか。

図4-5は、自動運転システムの技術がどの段階に達したら社会に導入していいか、という問いに対するアンケート結果です。

一般市民は、35％が「完全に安全」（専門家はたったの7％）を求めて

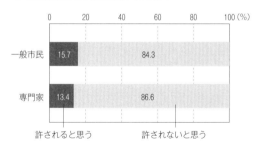

Q. 自動運転車は事例2の状況において，交通ルールに違反することが許されると思いますか？

一般市民　15.7　84.3

専門家　13.4　86.6

許されると思う　　　　許されないと思う

結果として、歩行者を死傷させてしまった場合は、
専門家も一般市民も許容度は大きく変わらない！

図4-5　結果：「AVsの交通ルール違反」を許容するか　③：事例2（出典：図4-2と同じ）

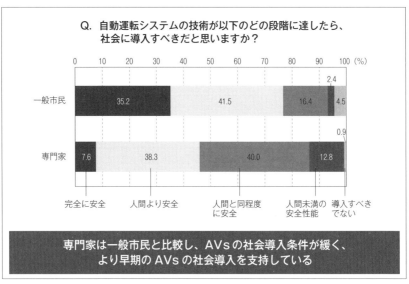

Q. 自動運転システムの技術が以下のどの段階に達したら、社会に導入すべきだと思いますか？

	完全に安全	人間より安全	人間と同程度に安全	人間未満の安全性能	導入すべきでない
一般市民	35.2	41.5		16.4	2.4 / 4.5
専門家	7.6	38.3	40.0	12.8	0.9

専門家は一般市民と比較し、AVsの社会導入条件が緩く、
より早期の AVs の社会導入を支持している

図 4-6　結果：AVs 社会導入の条件（出典：図4-2と同じ）

います。「完全に安全」を求めている一般市民は専門家の約5倍です。ま
た、専門家の8割は、自動運転車について「人間と同程度に安全」か「人
間より安全」となっているのに対して、一般市民の8割は、「人間より安
全」か「完全に安全」となっています。つまり、一般市民は専門家よりも
高い安全性を自動運転車に求めていることがわかります。

　これに関して、国連規則 UN − R 157 では、自動運転について、「…this
shall be ensured at least to the level at which a **competent and careful
human driver** could minimize the risks.」とあります。「注意深く有能な
人間ドライバー（**competent and careful human driver**）がリスクを最小限
に抑えられるレベルを確保すること」が要求されています。

　この注意深く有能な人間ドライバーが、アンケートの中に出てくる「人
間」の基準であるとしたら、「人間より安全」を求めることは、国連の規
格をも超える要求で、さらに、「完全に安全」を求めることはとてつもな
くハードルが高いということがわかります。もちろん、国連の基準は「最

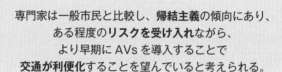

図 4-7　考察・まとめ：専門家は一般市民より積極的 (出典：図 4-2 と同じ)

低限のもの」と考えれば、日本だけ高い安全性を要求してもいいのかもしれません。ですが、ここで問題なのは、一般市民と専門家の「自動運転車に求める安全性の最低ライン」が「ズレていること」です。

　これについて、専門家からすれば、「そんなに高い安全性を求める必要はない。他のモビリティだって…」と一般市民を説得しはじめたり、また、「自動運転だって神様みたいに振る舞うことはできないし、完璧ではない」という技術の現状を一般市民が知らないからだと決めつけ、専門家（とくに事業者が）説明会で、一般市民に対して技術の弱さを伝えたりするかもしれません。ここで大事なのは、「社会実装・導入をしたい側」が都合よく説明会を開いても、それは導入のための方便だろうと思われてしまうことです。原発も同じです。大事なことは、リスクを含めたコスト・ベネフィット、メリット、デメリットすべてを明らかにして、そこにメーカーや事業者だけでなく、事業や開発に関わっていない学術機関等を混ぜて中立的な対話の場をつくることです。

イギリスの2022年レポート（2.4.2参照）での市民アンケート（約4800人）では、回答者たちは「**透明性**」を求めています。「自ら運転する車両は識別可能でなければならない」（86％が同意）だけでなく、91％が「（自動運転車の）背後にいる企業は、その車両が取った行動を説明できなければならない」ことを要求し、68％が「AIシステムの動作の全詳細を公開すべき」等を求めています。また、81％が「（自動運転車）技術を規制する国際基準を設けるべき」に賛成しています。さらに、「自動運転車に対する社会の認識と理解を深めることは、国民の信頼を得るための重要な要素の一つである。もう一つの重要な要素は、この技術について一般の人々が**真の対話**（genuine dialogue）をする機会をもつことであろう。技術そのものも、それを管理する構造も、まだ比較的初期の開発段階にあるため、これらの問題について公開討論を行う機会が設けられているのである」と解説されています。真の対話の機会をわれわれはもつ必要があるのです。

　さらに、向殿政男（2016年）[※1]には、

(1) 多くのステークホルダーが、とくに被害を受ける側が加わって、許容可能なリスクレベルと受容可能なリスクレベルを合意するように努めること

(2) 合意のプロセス、到達した安全目標のレベル等の情報を公開すること（目標の作成プロセスは、透明性・合理性がなくてはならない）

(3) 最新の技術、情報、環境の変化等を反映して、常に、安全目標を見直すこと（**State of the art**の原則）

(4) 事業者は、許容可能なリスクを越えて、常に、より小さなリスクになるように努めること等が重要である

と書かれています（State of the artは、ここでは、現在の技術水準に照らし十分な措置を常にとること、という意味です）。まさに、「とくに被害を受ける側」すなわち、（歩行者になることも多い）一般市民が加わって、許容可能なリ

スクを考える機会が必要になります。

　加えて、向殿政男（2019年）[※2]には、

　　「自動車の目指すべき安全目標は、交通事故死ゼロ（**安全基準値B：満たせばこれ以上努力する必要のない目標**）であろう。**満たすべき最低基準**（安全基準値A）として、法律的に、構造的な基準と排気ガス規制のような数値基準とが定められている。これを満たさない限り走行できないことになっている。一方、現実には、安全目標として、前年度10％減とか、交通事故死2000人以下のように数値目標が掲げられている。これらの**安全目標はALARPの領域**にある。基準値A、B及びALARPの領域における安全目標は、時代とともに見直していく必要がある」

と書かれています。

　ALARPとは、As Low As Reasonably Practicableのこと、すなわち、リスクは合理的に実行可能な限りできるだけ低くしなければならないとい

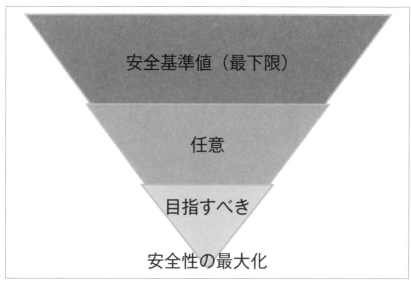

図4-8　ALARPと求めるべき安全性

う意味です。コストとの関係もありますが、法律で定められた最下限である安全基準値（たとえば、前に触れた UN‐R 157 にいう「注意深く有能な人間ドライバー」）から、安全性の最大化（アンケートでいう「完全に安全」）に向かって、最新の技術、情報、環境の変化等を反映して、常に、安全目標を見直すこと（State of the art の原則）が必要です。

　この作業を、一般市民も交えた形で進めるべきでしょう。なぜなら、自動運転車は一番身近な「自動の」モビリティだからです。一般社会と密接で、かつ、どこにでもあるものだからです。社会的受容性を高めるためにリスクの話をないがしろにしたり、良い面ばかりを強調したりしても意味がありません。自動運転を導入するかしないか、あるいは、どういった形で導入するかを話し合う必要があります。自動運転専用レーンがあれば安心でしょう。仮になかったとしても、街の人に「自動運転車への配慮」を求めるケースもあり得ます。交通課題やエネルギー課題の解決のために「必要だから」、歩行者・他の一般車に「配慮を求める」という（やや上から目線的な）論理ではなく、ステークホルダー全体で、「互いの需要」を考えて「どんなまち・社会にするか」を軸に「ツール」として「自動運転が組み込めるか」を話し合う必要があります。

4.2 社会が受容するために何をすべきか
——茨城県境町・栃木県の自動運転バス実証実験の成果から

　では、誰が話し合いに参加すべきでしょうか。交通事業者と市民だけでしょうか。そもそも、自動運転の社会実装により影響を受ける業種は何でしょうか。もちろん、バス、タクシー等の交通事業者は影響を直接受けます。物流分野において、材料や製品の輸送が変わりますし、ロジスティクス全体が変わります。自動運転の隊列走行で物流コストやルート、物流拠点の活用方法も変化します。公共交通が変わることで、小売業や、不動産業にも影響があるでしょう。また、教育業も影響を受けるうえに、無人であれば（外を見る用の）窓がいらないため、窓の部分をデジタルサイネージ広告にすることによる広告業や、タクシーやバス等が自動運転化された場合、現金を授受するドライバーが不在となるため、これらの自動運転モビリティは基本的にキャッシュレス決済が前提になります（アプリで乗車予約をしたりする以上、すべてデジタルで完結する流れになりそうです）。

　また、さまざまなモビリティを円滑に結ぶことが求められる MaaS（Mobility as a Service：サービスとしてすべてが結びつく移動）も、その性質上アプリで決済することが理想とされるため、キャッシュレス化を促進することになるでしょう。アプリ決済企業・金融さらには、オーナーカーの内部では移動時間に画面でショッピングや動画視聴もできるため、EC（Electronic Commerce）業やデジタルメディアにも影響があると思います。

　さらには、警備、農業（自動トラクター）、介護、医療等の移動の自動化にも関係します。そして、まちづくり、都市計画がかなりの影響を受け、インフラ側では、道路に磁気マーカーを埋めることや、（インフラと自動運転車両を通信で結びつける）協調型路側機をつけることも含め信号機メーカーや、送電・給電施設、駐車場、センサー、モニター等の精密機器や地図の企業、通信機器系の企業も関係します。もちろん、無人の遠隔監視にお

いては、通信技術に加えサイバーセキュリティ、防災、防犯の分野も問題になるでしょう。移動による運動やリスクが変化するため、自動運転レベル3の実用化に伴い、作動状態記録装置やドライバーモニタリングシステムの解析等、自動運転中の事故の責任を明確にする取り組みがすでに進められているほか、自動運転の実用化において実証段階から積極的に参加し、想定されるさまざまな事故や不具合を事前に洗い出す保険業も、医療も影響を受けます。さらには、交通が変わると、観光業も変わります。これに伴って、建設業、宿泊業、郵便、福祉、情報通信、出版、飲食もすべて変わります。

　たとえば、トヨタも、SDGs に関する取り組みのなかで「幸せに暮らせる社会への取り組み」を掲げ、自動車メーカーからモビリティ・カンパニーへの変革を通じて、ステークホルダーと一緒により多様なやり方で社会に貢献していくとしています。研究領域は、モビリティ、エネルギー、物流、農業・食品、IoT、ヘルスケア、教育、エンターテインメント、金融・決済、セーフティ・セキュリティ、スマートホーム、住宅・オフィスの12領域を設定しています（静岡県裾野市で建設中の実証都市「Woven City」は有名ですね）。自動運転を軸に、モビリティやロジスティクス、IoT 等さまざまな領域の先端技術がつながっていく世の中になってきました。これは、地球環境を考える動きである SDGs とも関係します。

　SDGs のうち、自動運転と直接関わるのは「③健康と福祉」のターゲット「3.6　2020 年までに、世界の道路交通事故による死傷者を半減させる」です。時期的には遅れていますが、今後は自動運転車が交通事故の減

図4-9　SDGs のゴール 3、7、9、11（出典：国連広報センター※3）

少に寄与するでしょう。さらには「⑦エネルギー」のターゲット「7a　2030年までに、再生可能エネルギー、エネルギー効率及び先進的かつ環境負荷の低い化石燃料技術等のクリーンエネルギーの研究及び技術へのアクセスを促進するための国際協力を強化し、エネルギー関連インフラとクリーンエネルギー技術への投資を促進する」も関連します。

　また、「⑨産業と技術革新」では、ターゲット「9.1　すべての人々に安価で公平なアクセスに重点を置いた経済発展と人間の福祉を支援するために、地域・地域を超えたインフラを含む質の高い、信頼でき、持続可能かつレジリエント（強靭）なインフラを開発する」等が自動運転と関連付けることができそうです。

　「⑪住み続けられるまちづくり」では、ターゲット「11.2　2030年までに、脆弱な立場にある人々、女性、子ども、障がい者及び高齢者のニーズにとくに配慮し、公共交通機関の拡大等を通じた交通の安全性改善により、すべての人々に、安全かつ安価で容易に利用できる、持続可能な輸送システムへのアクセスを提供する」が関連します。

　これらの目標に合わせた動きもあります。たとえば、テスラは、「エネルギー生産と貯蔵を統合する」とのマスタープランを掲げ、蓄電バッテリー付きソーラールーフ製品を製造しました。消費者は、テスラ社の車を買う・借りることで、気候変動という課題解決に参画して寄与することができるといいます。物を買う・借りるときに、競合他社との差別化ポイントに、「環境への対応」「SDGs」「ESG」の観点が入ってくるようになってきたわけです。その点、自動運転については、人件費を削減できるだけでなく、大勢をサービスカー（バス）で自動で輸送することで、CO_2の削減が可能ですし、自動運転車両自体については、EV化や水素を活用することで、化石燃料からの脱却も可能です。さらには、自動車メーカー、サプライヤーだけでなく、あらゆる業種、都市開発関係者、自治体等も参入する・関わることができるため、非常に大きなマーケットになっています。

　結論から言うと、自動運転はほとんどの業種に関わり、影響を与えると

いうことです。つまり、ほとんどの業種が「対話の機会」をもつべきです。1章で紹介したサンフランシスコでクルーズが行っている自動運転の実験で、周囲に悪い影響を与えてしまった例があります。サンフランシスコ消防局のトラック（消防車）が通報に応じ、駐車しているゴミ収集車を、対向車線を使って追い越そうとしたところ、クルーズの無人自動運転車が、ゴミ収集車を追い越そうにも追い越せず、隣で二重駐車してしまい、消防車の進路を塞いでいました。そのせいで、消防車は、クルーズの車両がどくまでの間、ゴミ収集車の追い越しができなかったのです。その結果、消火活動が遅れ、人的・物的被害が出ました。

　ゴミ収集車がまだゴミを回収中なので、対向車線にはみ出て追い越そうとした経験はみなさん、ありますか？　人間ならそうするでしょう。ですが、自動運転車は、その「臨機応変」な動きができず、途中で止まってしまい、周りの交通の邪魔になってしまったのです。このような事態は技術的に防げるのであれば、当然防がれるべきです。しかし、防げないイレギュラーな事態には、周りがまるで「初心者マークをつけている車に配慮してあげる」ように、ケアしてあげる必要があるかもしれません。その意味では、社会に、「大人みたいに頭が良いけれども、動きは子ども」のような自動運転車が入ってくることを理解して、社会で子どもを支えてあげる

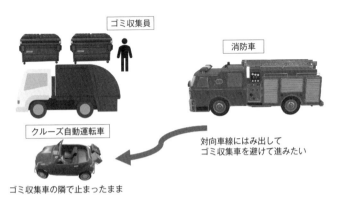

図4-10　サンフランシスコで起きたクルーズの事件
（出典：「GM's Cruise Autonomous Car Blocks Fire Truck on Emergency Call」https://www.iotworldtoday.com/2022/05/29/gms-cruise-autonomous-car-blocks-fire-truck-on-emergency-call/）

ような「あたたかい目で見る」ことも必要かもしれません。

　この点、茨城県境町での実験が参考になります。茨城県境町では、自動運転バスの社会実装に成功しています。境町の路線バスは1時間に1本だけ、タクシー会社も2社ありますが、計4台で運転手も70代です。このような「交通不便」である地域には、一般的にモビリティへのニーズがあると思いますよね。もちろん、それはそのとおりですが、自動運転の「社会実装」がどのレベルを指すのかにもよりますが、少なくとも、境町の町民には現在「受容」されているといえます。

　その間接的な証拠になる事実は以下のものです。

境町と自動運転

- 住民の路上駐車が減少した
- 住民が駐車場を提供してくれた
- 家の前をバス停にどうぞと言ってきた
- お茶や饅頭を自動運転の業者に渡してくれる
- ドライブレコーダーが防犯に役立つと理解されている
- 時速20kmの遅い自動運転が公道を走ることで、子どもたちの登下校時に高速で走っていた車が減少した
- 各種イベント（老人会、ママさん会、子どもイベント）への参画機会が増える

（出典：橋本正裕「茨城県境町における NAVYA ARMA を活用したまちづくり」『学術の動向』2022年7月）

　とくに、路上駐車と追い越しが減少しているので、その町で車を利用する方々の行動が「変容」したといえます。これについては、交通事情・地域特性やシビックプライド（＝みんなで自動運転を支え育む）も関係しそうです。たとえば、都会の真ん中でゆっくり20kmで走行する自動運転バスがあった場合、後ろから車にクラクションを鳴らされそうなイメージがありませんか？　通勤で交通量が多く、高速度の車両が多い地域では、住

民の行動変容以前に、クレームがきそうです。

境町での取り組みを見てみましょう。

図4-11〜20は、「境町　自動運転バス実用化　2021年度安定稼働レポート」（BOLDLY株式会社より提供）です（図タイトルは筆者による）。

図4-11のように道の駅やカフェ、金融機関や役場等、市民が頻繁に利用する場所をつないだ公道でのレベル2の実証実験です。

道路に面する「のぼり旗」や「置物」の撤去を市民にお願いしています（図4-12）。これは市民側の協力と理解がないと成り立ちません。そもそも、大前提として、自分の町で自動運転の実証実験をやっていることを市民が知る必要があります。

図4-13のように、境町では、**全戸**に自動運転の実験とその理解を求める内容のパンフレットを配布しています。

さらに、試乗体験において、小学生を巻き込んだり、商店街とコラボレーションをしたり、教材として活用してもらったりと、さまざまな機会を用意しています（図4-14）。

コロナ禍でもユースケースを確立

毎日利用する乗客も！

バス停の利用回数（2021年8月14日〜10月31日）

バス停		利用回数	乗車回数	降車回数
道の駅さかい	交通結節点	844	403	441
シンパシーホール	児童	309	173	136
河岸の駅さかい	交通結節点	273	156	117
4 高速バスターミナル	交通結節点	132	92	40
5 キッズハウス(カスミ)	児童 買い物	123	59	64
6 干し芋カフェ	飲食	108	29	79
7 境小学校入口	児童	107	45	62
8 葵カフェ	飲食	107	50	57
9 常陽銀行	サービス	102	44	58
10 エコス	買い物	88	40	48
11 西南医療センター	医療	76	45	31
12 境町役場入口	サービス	67	41	26
13 ニコニコパーク(なかい歯科)	児童 医療	66	33	33
14 郵便局	サービス	59	36	23
15 かごや	飲食	54	18	36
16 境高校(いとが眼科)	児童 医療	35	11	24

※利用回数=乗車回数+降車回数

図4-11　自動運転バスの利用回数
（出典：「境町　自動運転バス実用化、2021年度安定稼働レポート」（BOLDLY株式会社提供・図タイトルは筆者作成）

さらに、グッズ等を通して、地元の町（街）へのプライド、すなわちシ
ビックプライドを醸成しています。これは、ご当地キャラの戦略と同じで

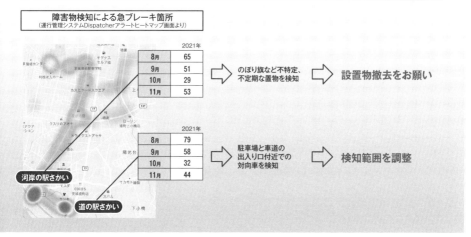

図 4-12　安全運行への取り組み（出典：図 4-11 と同じ）

図 4-13　広報戦略（出典：図 4-11 と同じ）

す（図4-15）。

　シビックプライドには、当事者意識が必要ですが、境町では、デザインコンペ等を通じて、自分たちのまちの車、という意識を育てているように

図 4-14　町内の信頼獲得（出典：図4-11と同じ）

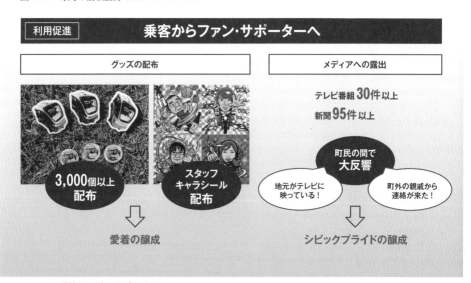

図 4-15　愛着とシビックプライド（出典：図4-11と同じ）

思います（図4-16）。

　結果として、市民（町民）の行動変容が起きています（図4-17）。

　プラスの面だけでなく、事故等の情報（文章だけでなく、図をつけていて

利用促進 ## 町民との共創で自分たちのバスに

多くの町民が参加したデザインコンペの開催 | 境町の美術家・内海聖史と共にブランディング

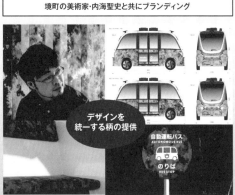

図4-16　共創と当事者意識 （出典：図4-11と同じ）

安定運行 ## 町民の行動変容、危険な追い越しは9割削減

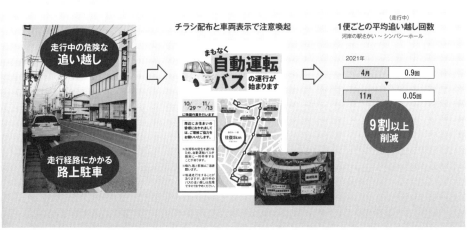

図4-17　町民の行動変容 （出典：図4-11と同じ）

よりわかりやすい形で）も共有して、自動運転をともに創る、育てるという一体感を出しているように感じます（図4-18）。

一体感の背景には、ちゃんと町民に頼った形、対等な関係があるように

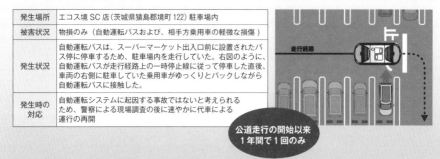

安定運行 | **安全な運行には他の交通参加者の協力が必要**

2021年10月5日に発生した衝突事故概要

発生場所	エコス境SC店（茨城県猿島郡境町122）駐車場内
被害状況	物損のみ（自動運転バスおよび、相手方乗用車の軽微な損傷）
発生状況	自動運転バスは、スーパーマーケット出入口前に設置されたバス停に停車するため、駐車場内を走行していた。右図のように、自動運転バスが走行経路上の一時停止線に従って停車した直後、車両の右側に駐車していた乗用車がゆっくりとバックしながら自動運転バスに接触した。
発生時の対応	自動運転システムに起因する事故ではないと考えられるため、警察による現場調査の後に速やかに代車による運行の再開

公道走行の開始以来
1年間で1回のみ

走行をする限り事故は必ず起こり得る。長期運行から得られたノウハウとし、さらなる安全性・利便性を目指す。

図4-18　交通参加者の協力（出典：図4-11と同じ）

運行スタッフ8人は地域住民から採用

運行体制の構築／
立ち上げ時の運行実施
BOLDLY

 移管

継続的な運行実施

株式会社セネック
愛知県を中心に各種バスの車両管理・運行計画や送迎スタッフの手配・育成等を行っている交通事業者

町内の施設内に
遠隔監視センターを
設立

地域住民を
積極的に雇用

図4-19　町民の雇用（出典：図4-11と同じ）

1年間の思い出

自動運転バスを活用する町の皆様

図 4-20　境町と自動運転 (出典：図 4-11 と同じ)

思えます。地元住民からスタッフを雇用しているのも、**一体感**と**共創感**を
もたらします（図 4 - 19）。

　地域性が多分に影響していると思いますが、少なくとも境町では自動運
転の受容性が高まっていると思います（図 4 - 20）。もちろん、これはレベ
ル 4 ではなく、有人で行っているため、「無人の自動運転を受け入れた」
とまでは言えませんが、社会的受容性が醸成された地域と評価することは
可能でしょう。

　なお、宮木由貴子（2021）[※4] によると、

- 属性・特性に合わせた効果的な自動運転や関連情報への接触機会の創
  出
- 既に利用している人の機能体感と満足感向上による消費者体験（CX）
  に基づく内発的動機の喚起
- 異業種・他領域との連携による効果的な受容性醸成に向けた戦略設計

が重要だそうです。

　これらのことが境町では達成されていると思います。

　では、全国的な取り組みはどうでしょうか。内閣府の戦略的イノベーション創造プログラム（SIP）第2期「自動運転（システムとサービスの拡張）」では、自動運転に対する社会的受容性の醸成を目的とした取り組みとして、各地で**市民ダイアログ**を実施しています。

　たとえば、栃木県では高齢者やインバウンドの公共交通の需要が伸びている一方で、民間バスの運転手不足や経営悪化により、運行系統が（平成以降）約3割減少しています。そこで、コミュニティバスが運行できない地域は、市町バスやデマンド交通がカバーしています。こうした地域で、「自動運転バスへの不安」について住民の方に伺うと、「不安に思うことはない」と回答された住民はわずか4.4％で、ほとんどの方が何らかの不安を抱えているそうです。この不安を解消するためには、自動運転バスに触れてもらうことが大切だと考えられています[※5]。

　そこで、「栃木県ABCプロジェクト」として、自動運転システム（Autonomous）を導入した路線バス（Bus）の本格運行を目指した挑戦（Challenge）が始まりました。東武鉄道西川田駅（東口）〜総合運動公園西バス停の片道約0.7kmで実証実験を実施しています。BYD社製小型電気バスをベースに、先進モビリティ社が開発した自動運転システムを搭載したモデルです。

　2022年4月20日に、栃木県における自動運転バスの取組「ABCプロジェクト」について、市民ダイアログが開催され、SIP関係者、および栃木県とその交通に関する有識

図 4-21　栃木県 ABC プロジェクト
（出典：栃木県庁 2022 年 9 月 7 日報道発表）

者・関係者による基調講演およびパネルディスカッションと、会場観覧客・オンライン視聴者からの質問に回答する形での対話が行われています。

栃木県県土整備部長、同交通政策課、茂木町企画課、小山市都市整備部技監、本田技研工業株式会社モビリティ・サービス事業本部エグゼクティブチーフエンジニア、株式会社みちのりホールディングスディレクター、白鷗大学経営学部メディア実践ゼミ等が参加しました。

そこでのQ＆Aを紹介します[6]。

市民ダイアログの一部

Q：県民にとってはまず『バスを使うことで（自動車を使っている）現状より便利になる』という発想がないと思う。自動車を運転できる人も、バスに乗車しなければならないのか。

A：多様なオプションを用意し、それぞれの時間・コスト・快適性を勘案して選択すれば良い。

Q：既にある困り事（公共交通の維持等）の側面に、まずは自動運転を充てていくということですよね。

A1：自動運転を導入するというだけでなく、オンデマンド交通や、ドライバーの運転環境を改善するという観点も必要。それによってドライバーの志望者を増やしたり、高齢ドライバーの働き方を持続可能なものにしたりすることができる。自動運転に資する技術（ドライバーモニタリング等）は、人のウェルネスや健康管理にも応用できるもの。業界の垣根を超えた会話を通じて、新たな価値が生まれていくことが期待される。

A2：自動運転技術はいまだ発展途上。すべてが直ちに置き換わるわけではなく、人にしかできないサービスは必ずある。マルチモーダルなモビリティを提供することで、社会課題の解決や街の活性化に貢献したい。

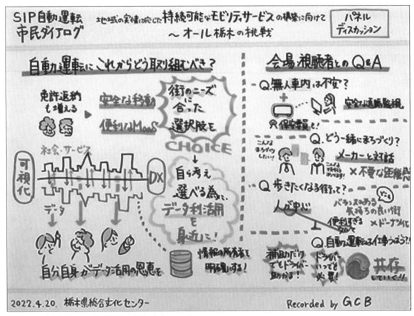

図 4-22　栃木県 SIP 自動運転市民ダイアログ

　このように、真の対話ができ、かつ、建設的に質問し合うイベントは非常に大事です。学生や市民を混ぜ、事業者だけでなく、自治体も入れて**共創**するのが一番です。

　学生を混ぜるという点については、工学系で企業と共同研究するような大学ではなく、あえて文系学問側から技術や法整備を調べたことを社会に発表するという取り組みもあります。大学という学術機関として、とくに自らが技術開発に関係しない文系学問の立場からの自動運転の研究は中立的で、一般市民の方にも受け入れてもらいやすいです。

　たとえば、多摩大学経営情報学部の樋笠ゼミでは、2022 年の学園祭で、**自動運転車**にとって**難しい状況**を種々の論文から調べて研究し、自動運転の運行プログラミングを、PC やコードを使わずに、文章で試してみる、という企画を一般向けに実施しました（図 4‐23）。

　「障害物の 2 m 手前で止まる」「白線が見えなくなったら止まる」「緊急

研究・企画・作成
（多摩大学経営情報学部学生）

伊藤樹希、岩間大地、大野翔平、大谷奨
加藤健太、萱沼航平、崎田信之介、佐藤綾真
髙見秋美、武井夕佳、塚田美咲、永田直樹
中澤彩花、中島康太、橋本一聖
松本記恵、森田彩伽

2022.11.13. 多摩大学経営情報学部「多摩祭」樋笠ゼミ企画

自動運転がどの様に進むか、組み込むべきプログラミングコードを「PCを使わず」に考えて選んでもらいます。そして、そのコードを実装した車がラジコン操作により実際にマップを走り、様々な交通状況において適切な走行ができるかを体験します。
事故を起こさず、交通状況を悪化させない自動運転プログラムとは何かをゲームを通じて学べる企画です。

　一般の方や子どもたちに、自動運転のすごさだけでなく、弱点や、私たちと共存するために必要なことをゲームを通じて伝えました。

図 4-23　多摩大学経営情報学部の樋笠ゼミ自動運転企画

車両を優先する」「横断意思のない歩行者であっても対面に歩行者がいる限り待機する」等の20個の行動パターンのうち、参加者に5個を選んでもらい、その行動パターンどおりにジオラマ内をラジコンが動く、というゲームです。相反する行動パターンや、パターン同士の優劣等、ジオラマのインフラを見ながら参加者に考えてもらい、ゲーム終了後には、論文をもとにした解説を受けてもらう、という企画です。一般の方や子どもたちに、「自動運転の凄さだけでなく、弱さを知ることができました」や「社会全体で道路とか、歩行者の動きとかを変えていく必要がありますね」等の感想をいただいています。

　このように、中立的に自動運転を見つめる場や、栃木県のような産官学民の対話の場等、さまざまな場所が増えれば、自ずと自動運転の社会的受容性は高まっていくものと思います。

4章の注

※1 向殿政男「安全の理念と安全目標」特集「社会における安全目標　その多様な展開」『学術の動向』Vol. 21、No. 3、日本学術協力財団、2016-3

※2 向殿政男「自動運転車の安全目標」『学術の動向』2019.9

※3 国連広報センターウェブサイト
https://www.unic.or.jp/activities/economic social development/sustainable development/2030agenda/sdgs logo/sdgs icon black and white/（最終アクセス：2023年2月9日）

※4 宮木由貴子（2022）「自動運転の社会的受容性醸成に向けて」『学術の動向』2022. 2

※5 https://sip-cafe.media/memoirs/8612/

※6 https://www.sip-adus.go.jp/evt/citizens2022/

4章の参考文献

• J. D. Power（2021），"*MIT Advanced Vehicle Technology Consortium*"，Partners for Automated Vehicle Education（PAVE）、Mobility Confidence Index Study

• 飯塚友也、岩田剛弥、溝口哲平、谷口綾子「自動運転車の『事故回避を企図した交通ルール違反』に対する一般市民と専門家の評価」『第66回土木計画学研究・講演集』（CD-ROM）、2022

• 保田隆明、田中慎一、桑島浩彰著『SDGs時代を勝ち抜く ESG財務戦略』ダイヤモンド社、2022年

• 橋本正裕「茨城県境町における NAVYA ARMA を活用したまちづくり」学術の動向、2022年

• 神崎宣次「これからのロボット研究のための倫理」『日本ロボット学会誌』39巻1号、pp.18-21、2021年

• E/ECE/TRANS/505/Rev.3/Add.156

• https://www.iotworldtoday.com/2022/05/29/gms-cruise-autonomous-car-blocks-fire-truck-on-emergency-call/

おわりに

　以上、本書では、自動運転について、国際動向、技術、法律、倫理、社会的受容性について学んできました。**レベル4の自動運転が始まるときに、われわれは何をしなければならないか**、まさに今がそれを考えるときです。従来の手動運転車両同士では、ライトでパッシングしたりして、車道での譲り合いが起きているものの、相手が自動運転車両（レベル4）だと判明すると、安全性重視の自動運転だから、何をしても大丈夫だろうと過信し、強引な運転を引き起こすこと等も考えられます。「お先にどうぞ」をインターフェースとしてどう表示するか、技術的な部分も大事ですが、やはり、まちづくり全体としてどのようなモビリティを走らせたいか、全員で考えることが先決でしょう。

　事業者は、（境町のように）地域住民の行動変容を期待しても良いですが、行動変容ありきではなく、既存の交通社会に入っていくため、対話の機会を促す必要があります。一方的な説明会だけでは、（図5-1のマトリクスに

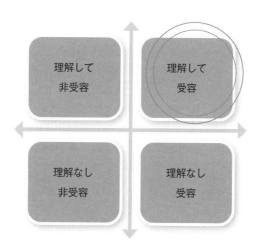

図5-1　受容性のマトリクス
（出典：宮木由貴子：自動運転の社会受容性醸成に向けて——地方のモビリティ創出に向けた課題と考察——、Life Design Report, vol. 10, p. 13（2019）をもとに筆者作成）

おいて）上方向にしか移行できず、右への移行がないことになります（おそらく、自動運転を導入したい者にとっての理想は「右上」でしょう）。したがって、右への移行のためには地域との合意の前提となる双方向の対話が必要なのです。

　ご自身の地域での自動運転は、難しい／まだ早い／誘致できなさそう／コスパが悪い、など、色々思うところがあるかもしれません。また、そもそも採算が取れなくてバス本数が減っている地域に経済的負担を増やして自動運転を走らせても意味がないだろう、と思われる方もいるかもしれません。

　ですが、自動運転は1つのツールです。AIオンデマンドバス、規制緩和された相乗りタクシー、自動運転、これらをミックスして適材適所に公共交通の課題を解決する必要があります。都市部のドライバーを自動運転レベル4により無人化して、そこで勤務していたドライバーを、ドライバー不足の地域に配属すれば、「ドライバー不足」は解決できます。

　なにも、全ての地域で自動運転にする必要はないのです。広域的・俯瞰的・行政横断的に交通を見つめる際の「手札」として自動運転を活用すればいいのです。

　でも、そのためには本書で見てきたような、地域との対話など、立ち向かうべき課題が山積しています。

　本書が、地域の課題に立ち向かうための参考になれば、筆者としては望外の幸せです。

　自動運転という新しいモビリティが社会に実装される際に、正しく「理解」し、「怖れ」、「期待」し、「利用」できるよう、本書を素材に産官学民の意見交換・議論の機会（＝「真の対話」）が増えることを期待したいと思います。

参考資料

（改正道路交通法の抜粋です。難しいですが、読みたい方はどうぞ）

【第七十五条の二十二】（特定自動運行が終了した場合の措置）

　「特定自動運行主任者は、特定自動運行が終了した場合において、当該特定自動運行用自動車又は当該特定自動運行主任者に対し次の各号のいずれかの措置又は命令が行われているときは、直ちに、当該特定自動運行用自動車を当該措置又は命令に従って通行させるため必要な措置を講じなければならない。

　　一　第四条第一項後段に規定する警察官の現場における指示

　　二　第六条第一項の規定による警察官等の交通整理

　　三　第七十五条の二十四の規定により読み替えて適用する第六条第二項の規定による警察官の禁止、制限又は命令

　　四　第七十五条の二十四の規定により読み替えて適用する第六条第三項の規定による警察官の指示

　　五　第六条第四項の規定による警察官の禁止又は制限

　　六　第七十五条の二十四の規定により読み替えて適用する第七十五条の三の規定による警察官の禁止、制限又は命令

　2　特定自動運行主任者は、特定自動運行が終了した場合において、当該特定自動運行用自動車に緊急自動車若しくは消防用車両が接近し、又は当該特定自動運行用自動車の付近に緊急自動車若しくは消防用車両があるときは、直ちに、当該特定自動運行用自動車が当該緊急自動車又は消防用車両の通行を妨げないようにするため必要な措置を講じなければならない。

　3　特定自動運行主任者は、特定自動運行が終了した場合において、当該特定自動運行用自動車が違法駐車と認められる場合は、直ちに、当該特定自動運行用自動車の駐車の方法を変更し、又は当該特定自動運行用自動車を当該場所から移動するため必要な措置を講じなければならない。

【第七十五条の二十三】（特定自動運行において交通事故があった場合の措置）

　特定自動運行（道路において当該特定自動運行が終了した場合を含む。第三項及び第六項並びに第百十七条第三項において同じ。）において特定自動運行用自動車（第七十五条の二十第一項第一号に規定する措置が講じられたものに限る。）に係る交通事故があつたときは、同号の規定により配置された特定自動運行主任者は、直ちに当該交通事故の現場の最寄りの消防機関に通報する措置及び現場措置業務実施者を当該交通事故の現場に向かわせる措置（当該交通事故による人の死傷がないことが明らかな場合にあっては、現場措置業務実施者を当該交通事故の現場に向かわせる措置）を講じなければならない。この場合において、当該特定自動運行用自動

車の特定自動運行主任者は、直ちに当該交通事故の現場の最寄りの警察署（派出所又は駐在所を含む。第三項及び第四項において同じ。）の警察官に交通事故発生日時等を報告しなければならない。

2　前項に規定する交通事故の現場に到着した現場措置業務実施者は、当該交通事故の現場において、道路における危険を防止するため必要な措置を講じなければならない。

3項　特定自動運行において特定自動運行用自動車（第七十五条の二十第一項第二号に規定する措置が講じられたものに限る。）に係る交通事故があつたときは、当該交通事故に係る特定自動運行用自動車に同号の規定により乗車させられた特定自動運行主任者その他の乗務員（第五項において「特定自動運行主任者等」という。）は、直ちに、負傷者を救護し、道路における危険を防止する等必要な措置を講じなければならない。この場合において、当該特定自動運行用自動車の特定自動運行主任者（特定自動運行主任者が死亡し、又は負傷したためやむを得ないときは、その他の乗務員。次項において同じ。）は、警察官が現場にいるときは当該警察官に、警察官が現場にいないときは直ちに最寄りの警察署の警察官に交通事故発生日時等を報告しなければならない。

4　前項後段の規定により報告を受けた最寄りの警察署の警察官は、負傷者を救護し、又は道路における危険を防止するため必要があると認めるときは、当該報告をした特定自動運行主任者に対し、警察官が現場に到着するまで現場を去つてはならない旨を命ずることができる。

5　前三項の場合において、当該交通事故の現場にある警察官は、当該交通事故の現場にある現場措置業務実施者又は特定自動運行主任者等に対し、負傷者を救護し、又は道路における危険を防止し、その他交通の安全と円滑を図るため必要な指示をすることができる。

自動運転倫理ガイドライン
V.220617 版

自動運転倫理
ガイドライン研究会

第 1 回公開シンポジウム　2022 年 6 月 17 日

前文

　本指針は、自動運転車を対象とするものであり、自動運転に携わる者全てが取り組むべき態度の方向性を既存の法律・指針の枠組みを超えて示すものである。

　本指針は、自動運転に関する指針であり、その他の車両および人間の運転手について規定するものではない。自動運転は、公共交通および社会全体の人の移動に資することから、関係機関のみならず、社会全体で取り組むべき問題である。本指針は、運転行為の一部または全てに対して、人の一切の関与が無い運転装置で、SAE（J 3016）のレベル3以上のADSがODD内で全てのDDTを実行している状態を対象とする。さらに、たとえば、機械が操舵のみを制御し、人がそれ以外の全ての運転行為を実行する（操舵の監視は行わない）場合も対象とする。

　本指針の遵守をもって、民事・刑事・製造物責任が免責されるわけでないが、本指針を遵守することが法的責任を免れ得る一つの根拠資料となる。自動車業界には型式認証という厳格な事前規制が存在するうえ、国連欧州経済委員会自動車基準調和世界フォーラム（UNECE/WP 29）もあり、自動運転についても国際的な議論の影響を受ける。そのため、自動運転の業界は、一般的なAI倫理ガイドラインでは補足しきれず、独自のガイドラインが必要である。本指針の策定においては、諸外国の指針から示唆を得ている。

　たとえば、ドイツには、「Ethische Regeln für den automatisierten und vernetzten Fahrzeugverkehr」が存在し、事故発生時の責任の所在、事前のプログラミングの方向性、ジレンマ状況における責任の帰属などについて20の規則が示されている（2017年）。EUでは、「Ethics of Connected and Automated Vehicles Recommendations on road safety, privacy, fairness, explainability and responsibility」が規定され、EU加盟国内の自動運転について、専門的な委員会が、研究者、政策立案者、メーカー、開発者に対して20の提言をおこなっている（2020年）。アメリカでは、連邦政府が、「Ensuring American Leadership in Automated Vehicle TechnologiesAutomated Vehicles 4.0）」は、10の原則を提示する。提言・指針にとどまらず、国際規格においても、たとえば、ISO/TC 241/WG 6の「Guidance on safety ethical considerations for autonomous vehicles ISO 39003」も策定が進められている。必要なコントロールを規定する技術的な精度を提供するものではないが、必要な倫理的配慮が設計時に対処され、効果的にコントロールされていることを保証するために、自動車メーカーが自己認証するための「プロトコル・ガイドライン」を提供するものであるとされる。

用語定義 1

自動運転本指針における用語の定義は、SAE の J 3016（2021）の日本語参考訳である JASO TP18004（2022 年 3 月）の定義、および、官民 ITS 構想・ロードマップ 2020 による。

【自動運転】

SAE の定める運転自動化レベル 3、4、5 を備え、安全運転に係る監視、対応主体がシステムであるものをさす。

【自動運転システム】

運転自動化レベル 3 以降のシステムをさす。

【運転自動化レベル 3】

システムが全ての動的運転タスク（DDT）を限定された運行設計領域（ODD）において実行し、作動継続が困難な場合は、システムの介入要求等に運転者が適切に応答するもの。条件付運転自動化。

【運転自動化レベル 4】

システムが全ての動的運転タスク（DDT）及び作動継続が困難な場合への応答を限定された運行設計領域（ODD）において実行する。高度運転自動化。

【運転自動化レベル 5】

システムが全ての動的運転タスク（DDT）及び作動継続が困難な場合への応答を領域の限定なく実行する。完全運転自動化。

【動的運転タスク（DDT）】

道路交通において、行程計画並びに経由地の選択などの戦略上の機能は除いた、車両を操作する際に、リアルタイムで行う必要がある全ての操作上及び戦術上の機能をいう。

【限定領域（ODD、Operational Design Domain）】

ある自動運転システム又はその機能が作動するように設計されている特定の条件（運転モードを含むが、これには限定されない）。
※地理的、道路面の、環境的、交通の、速度上の、及び / 又は時間的な制約を含んでもよい。

用語定義 2

【自動運転車】
自動運転レベル 3 においてシステムが運転を行う場合の車両および、自動運転レベル 4（ODD 内）の車両、ならびに自動運転レベル 5 の車両をいう。

【自動運行装置】
プログラムにより自動的に自動車を運行させるために必要な、自動車の運行時の状態及び周囲の状況を検知するためのセンサー並びに当該センサーから送信された情報を処理するための電子計算機及びプログラムを主たる構成要素とする装置であって、当該装置ごとに国土交通大臣が付する条件で使用される場合において、自動車を運行する者の操縦に係る認知、予測、判断及び操作に係る能力の全部を代替する機能を有し、かつ、当該機能の作動状態の確認に必要な情報を記録するための装置を備えるものをいう。

【受容性】
環境・経済面の費用対効果、人々の賛否意識、期待や不安など様々な要素から浮かび上がる、時々刻々と変化し得る集団意識のことをいう。

【交通参加者】
歩行者、地域住民および、自動車、軽車両、路面電車の使用者など、道路を使用し、又は自動運転車の運行領域付近に現在する者をいう。

【自動運転に携わる者】
運転手、所有者、製造者、自治体、事業主、行政機関、運行事業者（特定自動運行実施者を含む）、遠隔監視者（特定自動運行主任者を含む）、現場措置業務実施者、車両の認証を行う機関、車両の販売・広報に関する基準を策定する機関など、自動運転に当たり一定の役割を果たす者を指す。なお、住民等はこれにあたらない。

【機能限界】
システムが対応できない条件・状況ならびに、製造者と運行事業者などの自動運転に携わる者が共同して設定したシステムが対応できない条件・状況をいう。

ガイドライン案 v.220617

指針 1　交通事故を回避することによって守られる人命、交通の円滑さがもたらす人命は等しく尊重されなければならない。

　憲法第13条は、「すべて国民は、個人として尊重される。生命、自由及び幸福追求に対する国民の権利については、公共の福祉に反しない限り、立法その他の国政の上で、最大の尊重を必要とする。」としており、守られるべき国民の権利の筆頭は「生命」である。ドイツ基本法でも、2条において「何人も、生命に対する権利および身体を害されない権利を有する。」とし、生命が第一である。欧州憲法条約でも、第Ⅱ-62［Ⅱ-2］において、「生命に対する権利では、1. あらゆる人は、生命に対する権利を持つ。」とする。

　交通事故で失われる生命の数が減少するという論理のみで自動運転の導入を正当化するのではなく、移動に資する交通の円滑さによってもたらされる人命（の減少）も考慮されるべきである。

指針 2　自動運転車の設計においては、乗車側の人命のみならず、非乗車側の人命も、等しく尊重されなければならない。ただし、「等しく尊重する」あり方については、社会的な議論にゆだねるものとする。

　主たる受益者たる乗車側の都合だけでなく、車に関係のない歩行者の人命も尊重されなければならない。

　参考：ドイツ倫理規則第9は、「回避することができない事故状況において、個人的な特徴（年齢、性別、身体あるいは精神上の素質）によるあらゆる格付けは厳格に禁止される。被害者同士を相殺することも禁止である。人的被害数を減少させる一般的なプログラミングは支持されうる。乗り物のリスクの発生に関与する者は、関与しない者たちを犠牲にしてはならない。」と規定する。

　参考：EU倫理提言5は「たとえば、あるカテゴリーの道路利用者は他の利用者よりも脆弱であるという仮説が科学的研究によって確認された場合、そのような証拠に基づいて、製造者や配備者は、行動が予測しにくい利用者の周りでは速度を落としたり、より多くのスペースを確保したりして、より慎重に行動するようにCAVをプログラムすることができる」とする。

　参考：Ethically Aligned Design, (final)Edition（EAD）2019,P.274は「無差別であること。無差別、平等、包括性の原則に基づく。とくに、弱い立場にあるグループや以下のような人（マイノリティ、先住民、障がい者など、地域ごとに決められる）に注意を払わなくてはならない。」と規定する。

指針3 ジレンマ状況に直面しないことへの努力が必要である。しかし、いわゆるジレンマ状況等、人間が運転していた場合においても一義的・事前的な判断が困難である問題状況が発生した場合に対しては、広く社会的に受け入れられている価値観に配慮して自動運転システムを提供すべきである。

　一義的・事前的な判断が困難な問題とは、たとえば、二者択一のジレンマ状況である。ジレンマ状況とは、法律的には、一方の法益が、他方の法益を侵害することによってのみ保全可能な状況のことをいうが、簡単にいえば、どれかを犠牲にしないと助からない状況をジレンマ状況と呼ぶ。

　「価値観に配慮」については、価値観の判断の元になる情報が計測（センシング等）できない場合、同一の価値観として扱わざるを得ないことに留意が必要である。また、この配慮は有限である。

　本註釈で配慮すべき価値観として挙げるものは例示である。たとえば、「公平性」、「人間の尊厳」、「正義」、「平等」、「透明性」等である。

　想定される状況の例：進行中の車両に対する飛び出し事案。

　操舵回避によって車道外にいる複数人歩行者への事故が予想され、直進すると一人にぶつかるような場合、急制動を優先するというのは、結果として、優劣をつけていることになってしまうので、緊急時の動作として、急制動が原則であり、操舵回避は例外である、といった行為制限をするなどの対応が求められる。

　参考：ドイツ倫理規則8は「生命対生命のような真のジレンマにおける決定は、関係者の「予測できない」行動様式を含んだ具体的な実際の状況に左右される。それゆえ、かかる決定は、一義的に規範化できず、また、倫理的に疑う余地のないようプログラムすることもできない。技術システムは、事故を避けるために設計されなければならない。しかし、道徳的に判断する能力を有する答責的な運転者の決定を置き換えたり、あるいは、それを先取りし得るような、複雑あるいは直感的な事故の評価に向けた規範化はできないのである。人間の運転者が、一人あるいはそれ以上の人間を救うために緊急状況下で一人の人間を殺してしまった場合、たしかに、その運転者は違法に行為したものであろう。しかしながら、必ずしも責任ある行為とはいえない。回顧的に、特別な事情も含めてなされるこのような法的な判断は、容易には、抽象的、一般的な事前判断に置き換えられ得ず、それゆえ、ふさわしいプログラミングにも置き換えることができない。したがって、望ましいのは、独立の公的機関により、体系的に諸経験を整理することである」と規定する。

指針4　自動運転に携わる者は、事故回避等の際にとった自動運転システムの行動を事後的に検証できるよう準備しておかなければならない。

　とくに、AIのシステムに対しては、透明性の確保が要求される。事後的に、自動運転車の予測・推奨・操作の根拠・要因となったものを特定・検証することで、自動運転に携わる者が自己正当性を主張できるようにする。

　行政機関においては、車両運送法の保安基準でも、車載データは保存することになっており、可能な限りデータを保存してほしい官公庁側と、コストとの関係で必要性のある部分に限って限定的に保存したいメーカー側のとの折衝を諮ることが望ましい。

　参考：EU倫理提言6「ジレンマの結果（およびCAVが遭遇するその他のセーフティクリティカルな状況（たとえそれが事後的にしか認識されないとしても））を記録し、レビューすることは、CAVのソフトウェアとその将来の行動を更新するための基礎となる」

　参考：Recommendation of the Council on Artificial Intelligence, OECD/LEGAL/ 044914 2019では、「1.3.透明性と説明 iv. AIシステムによって不利益を被った人が、予測・推奨・決定の根拠となった要因や論理をわかりやすく説明した上で、その結果に異議を唱えることができるようにする。」と規定される。

指針5　自動運転に携わる者は、お互いに情報を共有するなど共同して自動運転システムの機能を適切に把握すべきである。

　自動運転に携わる者は、お互いに情報共有し、機能限界を把握するよう務める。もっとも、限界には色々あり、機能の対象にはシステム以外も含む。また、本条で求める「把握」とは、ひとつの組織で完結するものではない。

　ODD設定、運行ルート、走行条件変更、ヒヤリハット事例等について組織横断的に情報共有することが望ましい。

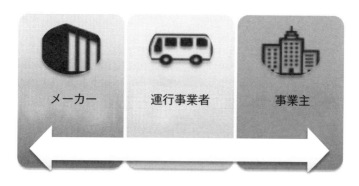

指針6　自動運転に携わる者は、自動運転に関する用語およびODD等の条件を適切に把握した上で、その説明等表現においては誇張などを行ってはならない。

　システムの誇張は、説明や広報の場面が想定される。どこからがODDの外なのか、ODDの中でも難しい状況とは何か把握すべきである。ODDを曖昧にした結果、サービス提供外なのにサービス「有」だと思わせることを防ぐ。本条は新しい技術に対して過度の期待がなされないように、システムができないことを示す趣旨である。

　たとえば、運転自動化レベルに関する呼称は、市場で販売される自動車についてユーザーがその機能や限界などを正しく理解し、適切な運転操作を行うよう促すことを意図して設定されている。メーカーが消費者に対し、具体的な車種についてテレビCMや新聞広告などの宣伝や広報を行う際に正しい用語を使用することを想定されており、各メーカーが使用する言葉・表現をユーザーが過信・誤解することに起因する事故の発生は防がれなくてはならない。

　アメリカ運輸省連邦ガイドライン原則1は、「米国政府はまた、例えば自動車の安全性や性能に関する欺瞞的な主張を含む、AV技術の性能と限界について、事業者が欺瞞的な主張をしたり、公衆を誤解させないよう、現行法で保証する。」とする。

指針7　自動運転に携わる者は、交通参加者の適切な対応が可能なように、自動運転車の挙動に関して、交通社会全体を考える機会を持つ等、受容性を高める努力をしなければならない。

　自治体や事業者からの一方的な情報提供ではなく、双方向コミュニケーションによるやりとりを通じて互いの理解を深める必要がある。単なるリスクの説明にとどまらず、自動運転車には不自然な挙動があること、初心者マークの車に配慮をするのと同様の配慮が自動運転車に必要であることを周知する。

　一般論としての「交通不便地域の改善」「ドライバー不足の解消」「事故による死亡者数の減少」などを謳うのではなく、自動運転を実装する地域において、地域住民自身が自分の居住地域や将来の生活で、どのようなモビリティがどのような形態で自分の地域に存在すれば、自身が快適に生活し続けることができるのかについて、事業者と意見交換をする場を設けるべきである。

　その際には、自動運転車への理解がないままに社会実装がなされると、自動運転車の実装以前には存在しなかった類型の事故が生じる可能性があることが住民に対して丁寧に説明されなければならない。

　警察庁も、「自動運転車特有の挙動等の特性が地域住民に理解されていないことに起因して交通の安全・円滑上のリスクが生じるおそれがあるが、それを説明によって回避できることがある。」としている。たとえば、レベル4において、過疎地で遠隔

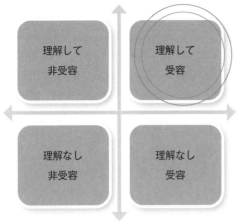

監視を行い、保安要員（特定自動運行主任者）がいない場合には、事故時に救助が遅れる可能性があることなど、具体的にどのような挙動・特性があるか（急に停止する、路駐車の前で止まってしまう等）を住民に説明しなければならない。

　事業者は、地域住民の行動変容を期待しても良いが、行動変容ありきではいけない。既存の交通社会に入っていくため、対話の機会を促す一方的な説明会だけでは、

（左図において）上方向にしか移行できず、右への移行がないことになる。したがって、右への移行のためには地域との合意の前提となる双方向コミュニケーションが必要である。

宮木由貴子「自動運転の社会受容性醸成に向けて ──地方のモビリティ創出に向けた課題と考察──」Life Design Report 2019.10（図表12参考）

指針8　自動運転に携わる者は、自動運転システムに起因するリスクのうち、車両の説明文書に記載しないものや、未解明のリスクも含めリコールに満たない情報を、販売後・導入後においても、自動運転に携わる者が用意する公開用プラットフォーム等の告知手段にリスクの情報を逐一提供し、更新をしなければならない。

　たとえば、医薬品リスク管理計画（RMP：Risk Management Plan）では、医薬品のリスク（副作用）を最小化するためには、開発から審査の段階でわかったリスクを市販後に情報提供し、まだ不足している情報を市販後に確認することが必要であるとされている。

　医薬品安全性監視活動とリスク最小化活動には、「通常」と「追加」の2種類の活動があり、「通常の活動」とは、全ての医薬品に共通して製造販売業者が実施する活動のことで、具体的には、副作用情報の収集、添付文書による情報提供などが該当する。

　一方、「追加の活動」とは、医薬品の特性を踏まえ個別に実施される活動のことで、市販直後調査、使用成績調査、製造販売後臨床試験、適正使用のための資材による情報提供などが該当する。

　参考：独立行政法人医薬品医療機器総合機構 ICH E2E ガイドライン

指針 9　自動運転に携わる者は、安全性や社会公共性の確保を目的とし、その時代の技術水準に合致させ続ける努力をすべきである。

　ソフトウェアアップデートは単なる達成手段である。メーカーにおいても、車両のリリース後も、絶えず技術水準に合わせる継続的な努力が必要である。

　もちろん、ここで検討されるべきは、①変化に合わせる方法があるかと、②それを提供できるか、③それを採用するか、である。技術・環境（行動変容含め）は常に変化する、かりに環境変化なしでも技術は変化すべきか、方向と因子がいくつかあるなか、時代の水準を追う必要がある。

　WP 29 のフレームワークドキュメントなどに留意することが望ましい。

指針 10　自動運転に携わる者は、自動運転では対応が困難な状況に関して乗客が理解、把握できるよう事前に説明しなければならない。

　たとえば、レベル3では、セカンドタスクとして許容される内容と、システムからリクエストがあった際に「直ちに」テークオーバーをしない場合にどのような事態が起きるかを丁寧にドライバーに説明する必要がある。もっとも、この場合は「乗客」である瞬間はわずかであり、また、道路交通法上、運転手としての一定の義務を負っているため、レベル3においては、「乗客」は「運転手」と読み替える必要がある。

　レベル4では、乗客に、「何もしなくていい」と思わせずに、緊急車両対応や救護義務発生時などの説明などを徹底して行う。東名事故に鑑みて、レベル4以降でも、操作をしない乗客に関して、事前にイレギュラーを説明するためのブリーフィングを、文書・口頭だけでなく、動画やチェックテストなどを用いて実施すべきである。

　レベル4以上では、緊急停止ボタンが設置されている場合に、どのような時に活用するのか、具体的な説明が必要である。また、保安要員が同乗するとしても、これらの説明を省略してはならない。

　また、レベル4において、特定自動運行主任者が保安要員として同乗する場合に事故が発生し、全員が重症であるときには、（特定自動運行主任者が同乗しない場合に現場措置業務実施者が救助に来ることとの対比で）基本的に誰も救助が来ない可能性があるということを乗客に伝えなければならない。

指針 11　自動運転に携わる者は、法律で定められる安全の基準を最下限とし、目指すべき安全性の最大化を図るよう努力すべきである。

　許容可能なリスクと不可能なリスクとの間で、最大化を図るという趣旨である。

　「自動車の目指すべき安全目標は、交通事故死ゼロ（<u>安全基準値 B：満たせばこれ以上努力する必要のない目標</u>）であろう。<u>満たすべき最低基準</u>（安全基準値 A）として、法律的に、構造的な基準と排気ガス規制のような数値基準とが定められている。これを満たさない限り走行できないことになっている。一方、現実には、安全目標として、前年度 10 ％減とか、交通事故死 2,000 人以下のように数値目標が掲げられている。これらの<u>安全目標は ALARP の領域</u>にある。基準値 A、B 及び ALARP の領域における安全目標は、時代と共に見直していく必要がある。」

　（向殿政男「自動運転車の安全目標」学術の動向 2019.9 より引用）

　ALARP（As Low As Reasonably Practicable）、すなわち、リスクは合理的に実行可能な限り出来るだけ低くしなければならない。コストとの関係もあるが、法律で定められた最下限たる安全基準値から、安全性の最大化に向かって、最新の技術、情報、環境の変化等を反映して、常に、安全目標を見直すこと（State of the art の原則≒ ISO 12100）が必要である。

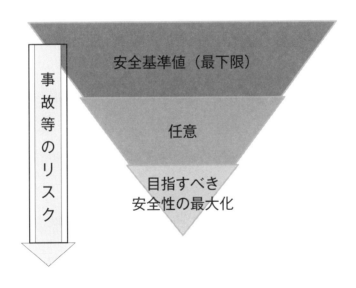

自動運転倫理ガイドライン研究会の紹介

　たとえば、自動運転による事故が発生した場合に、プログラマー、メーカー、ディーラー、乗務員それぞれについて刑事責任をどのように認定するかは定められていません。さらには、運転者の生命、又は歩行者等の生命を、別の歩行者の生命を侵害することによってのみ回避可能な状況（＝ジレンマ状況）等の倫理問題について事前にプログラミングをする際の方向性の基準も存しないことも問題です。ジレンマ状況の場合に、誰が責任を負うのか、又は、責任を負わないとすればその法的構成はどのようなものか、が不明確です。

　ジレンマ以前に、そもそも、「人命への配慮」についての大前提となる人命には、歩行者、対向車、交通違反者、どこまで含むのか、また、メーカーは、安全をどこまで希求すべきなのか、合理的に予見される防止可能な事故が生じないという要求を少し超えればそれでよいのか、自動運転の導入が許される社会的受容性とは何か等、産官学民すべてのステークホルダーが直面する問題の根底には、「倫理」が存するといえます。

　そこで、本研究会は、10名の学際的なメンバー、刑事法学、民事法学、哲学、生命倫理学、法哲学、元検事（弁護士）、機械工学、交通工学、電気工学（メーカー）、電子工学（メーカー、を集め、ディスカッションを重ねて、共通言語・共通理解を見出し、自動運転の社会実装において必要な11の指針の案および注釈を策定しました。本指針は、自動運転車を対象とするものであり、自動運転に携わる者全てが取り組むべき態度の方向性を既存の法律・指針の枠組みを超えて示すものです。

　本ガイドライン案は、皆様の意見を取り入れ、改訂をして参ります。

作成者（身分・肩書は 2022.6.17 時点）

樋笠尭士（多摩大学経営情報学部専任講師・名古屋大学未来社会創造機構客員准教授・自動運転倫理ガイドライン研究会代表）

河合英直（交通安全環境研究所自動車安全研究部長・自動運転基準化研究所所長）

谷口綾子（筑波大学大学院システム情報系社会工学域教授）

樋笠知恵（信州大学医学部助教・名古屋大学未来社会創造機構招聘教員）

松尾陽（名古屋大学大学院法学研究科総合法政専攻現代法システム論教授）

中山幸二（明治大学専門職大学院法務研究科教授）

岩月泰頼（松田綜合法律事務所弁護士・名古屋大学未来社会創造機構客員准教授）

樋笠勝士（岡山県立大学デザイン学部特任教授）

田中伸一郎（株式会社ウーブン・コア　シニアテクニカルアドバイザー）

波多野邦道（本田技研工業株式会社事業開発本部 ソフトウェアデファインドモビリティ開発統括部エグゼクティブチーフエンジニア）

自動運転倫理ガイドライン研究会事務局（多摩大学：東京都多摩市聖ケ丘 4-1-1）
電話：042-337-7166　メール：hikasa.takashi@gmail.com

◆著者紹介

樋笠 尭士（ひかさ　たかし）

多摩大学経営情報学部専任講師、名古屋大学未来社会創造機構客員准教授

刑法学者。上智大学法学部法律学科卒業。中央大学大学院法学研究科博士後期課程修了、博士（法学）。
同志社大学人文科学研究所嘱託研究員、中央大学日本比較法研究所嘱託研究員、嘉悦大学ビジネス創造学部非常勤講師、大東文化大学法学部非常勤講師、中央大学法学部助教、法務省法務総合研究所委託研究員を経て、2021年より現職。
自動運転と法の研究に従事しつつ、名古屋大学未来社会創造機構客員准教授を兼務する。
また、経済産業省のRoAD to the L4プロジェクトや、自動車技術会自動運転HMI委員会などに参画し、ISO/TC241国内審議委員会・専門委員会委員（ISO39003）や、ヴュルツブルク大学法学部ロボット法研究所外国研究員なども務める。近著に「自動運転と倫理」自動車技術2023年1月号、「自動運転レベル4における刑事実務」捜査研究 858号（2022年）など。自動運転倫理ガイドライン研究会代表も務める。

著者が代表を務める
自動運転倫理ガイドライン
研究会はこちら

自動運転レベル4
どうしたら社会に受け入れられるか

2023年3月31日　　第1版第1刷発行

著　　者　樋笠尭士

発 行 者　井口夏実

発 行 所　株式会社 学芸出版社
　　　　　〒600-8216　京都市下京区木津屋橋通西洞院東入
　　　　　電話 075-343-0811
　　　　　http://www.gakugei-pub.jp/
　　　　　E-mail info@gakugei-pub.jp

編集担当　前田裕資・山口智子

Ｄ Ｔ Ｐ　KOTO DESIGN Inc.　山本剛史・萩野克美
装　　丁　美馬智
印　　刷　イチダ写真製版
製　　本　新生製本

Printed in Japan

©樋笠尭士　2023
ISBN978-4-7615-2847-8

●本書紹介ページ

本書の関連情報やイベント案内、アーカイブ動画を掲載予定
https://book.gakugei-pub.co.jp/gakugei-book/9784761528478/

好評発売中

MaaS が都市を変える　移動×都市 DX の最前線

牧村和彦 著

モビリティ革命からスマートシティの実装へ

A5 判・224 頁・定価 本体 2300 円＋税

MaaS が地方を変える　地域交通を持続可能にする方法

森口将之 著

地方でもできる、地方だからできる！

A5 判・200 頁・定価 本体 2300 円＋税

MaaS 入門　まちづくりのためのスマートモビリティ戦略

森口将之 著

交通・ICT・地方創生関係者、必読の 1 冊

A5 判・200 頁・定価 本体 2300 円＋税

ウェルビーイングを実現するスマートモビリティ

事例で読みとく地域課題の解決策

石田東生・宿利正史 編著　地域の未来を変えるモビリティ研究会 著

モビリティを使いアクティブに暮らせる街へ

A5 判・168 頁・本体 2300 円＋税

地方都市圏の交通とまちづくり

辻本勝久 著

具体事例と実践で解説する総合的な交通政策

A5 判・240 頁・本体 2500 円＋税

グリーンスローモビリティ

小さな低速電動車が公共交通と地域を変える

三重野真代＋交通エコロジー・モビリティ財団 編著

低速公共交通が持つ力と可能性を伝える 1 冊

A5 判・204 頁・定価 本体 2400 円＋税